吃眼睛的女人

李碧華

1.潮州巷

2.鑰匙

3.尋找蛋撻

4.貓柳春眠水子地藏

潮州巷

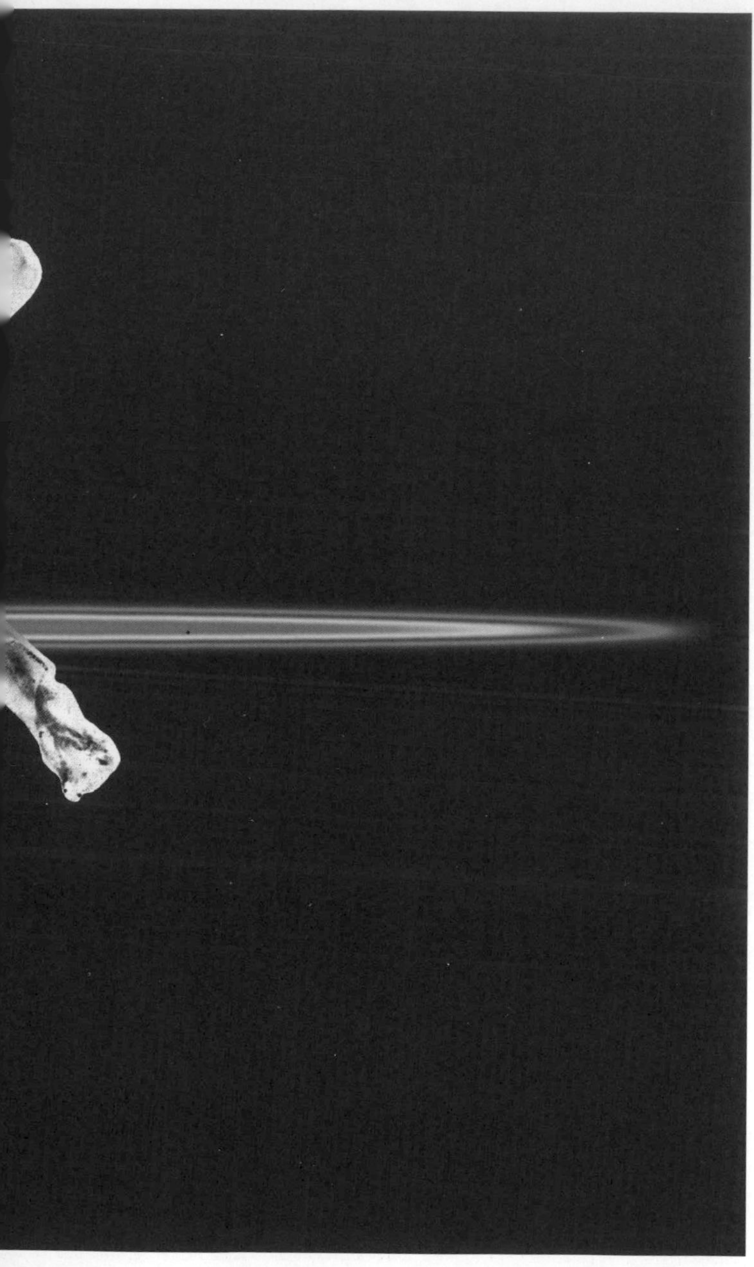

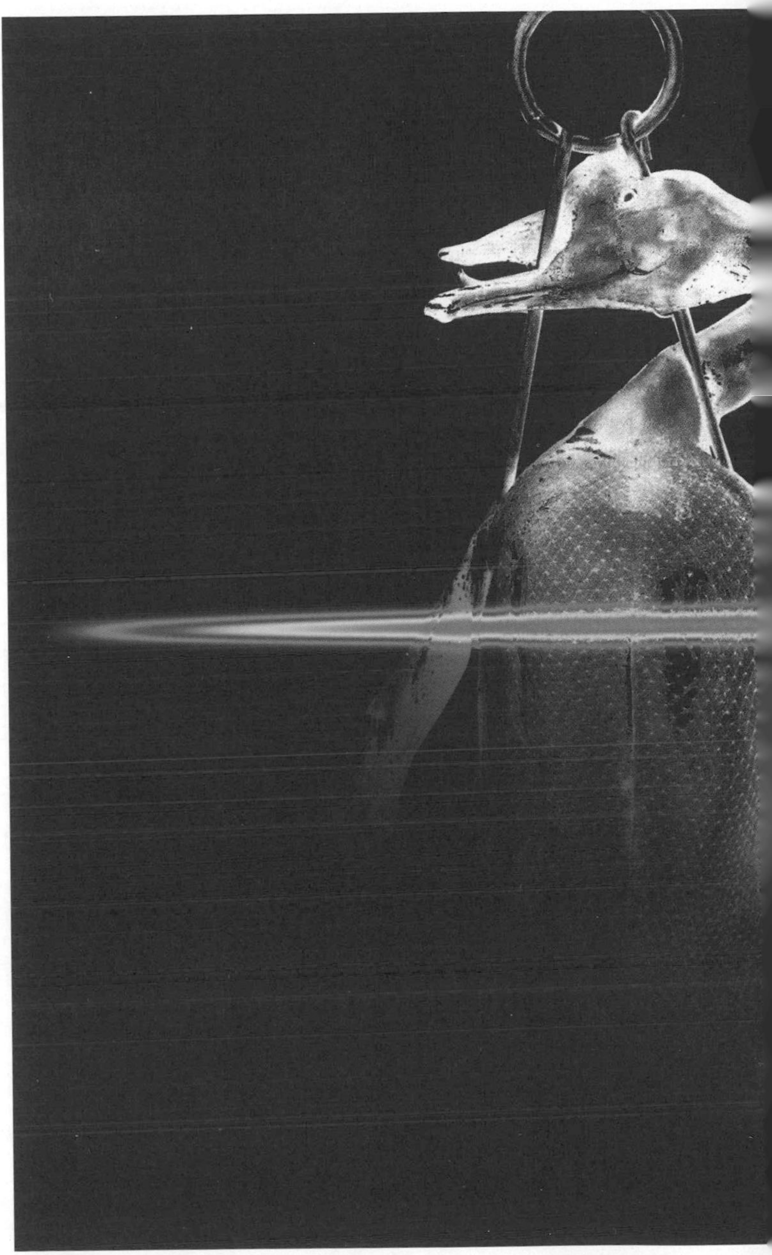

——吃滷水鵝的女人

電視台的美食節目要來訪問，揭開我家那一大桶四十七歲的滷汁之謎。

我家的滷水鵝，十分有名。人人都說我們擁有全港最鮮美但高齡的陳滷。

那是一大桶半人高，浸淫過數十萬隻鵝，烏黑泛亮香濃無比的滷汁。面層鋪着一塊薄薄的油布似地，保護那四十七年的歲月。它天天不斷吸收鵝肉精髓，循環再生，天天比昨日更鮮更濃更香，煮了又煮，滷了又滷，熬了又熬，從未更換改變。這是一大桶「心血」。

滷汁是祖父傳給我爸，然後現在歸我媽所有。

美食節目主持人在正式拍攝前先來對講稿，同我媽媽綵排一下。

「陳柳卿女士，謝謝你接受我們的訪問——」

「不。」媽媽說：「還是稱我謝太吧。」

「但你不是說已與先生分開，才獨力當家的？」主持人道：「其實我們也重點介紹你是地道美食『潮州巷』中的唯一女當家呀。」

「還是稱謝太吧。」她說：「我們還沒正式離婚。」

「哦沒所謂。」主持人很圓滑：「滷汁之謎同婚姻問題没甚麼關連，我們可以集中在秘方上。」

「『秘方』倒談不上，不過每家店號一定有他們特色，說破了砸飯碗啦。」她笑：「能說的都說了，客人覺得好吃，我們最開心。」

我們用的全是家鄉材料，有肉桂皮、川椒、八角、小茴香、丁香、豆蔻、沙薑、老醬油、魚露、冰糖、蒜頭、五花腩肉汁、調味料……，再加大量高粱酒，薪火不絕。每次滷鵝，鵝吸收了滷汁之餘，又不斷滲出自身的精華來交換，或許付出更多，成全了陳滷。

媽媽透露：

「滷水材料一定要重，還要捨得。三天就撈起扔掉，更新一次。——材料倒是不可以久留。」

是的，永恒的。只是液體。越陳舊越珍貴。再多的錢也買不到。

媽媽接受訪問時，其實我們已離開了「潮州巷」。因爲九七年五月底，土地發展局正式收回該小巷重建。

從此，美食天堂小巷風情：亂竄的火舌、霸道的香味、粗俗的吃相、痛快的享受，都因清拆，化作一堆泥塵。——就像從沒存在過一樣。

我們後來在上環找到理想地點，開了一間地舖，繼續做滷水鵝的生意。

這盤生意，由媽媽一手一腳支撐大局，自我七歲那年起……。

七歲那年發生甚麼大事呢？

——我爸爸離家，一去不回。

他遺棄了我們母女，也捨一大桶滷汁不顧。整條「潮州巷」都知道他在大陸包二奶。保守的街坊同業，雖同行如敵國，但同情我們居多。

他走後，媽媽很沉默，只閉門大睡了三天，誰都不見不理，然後爬起床，不再傷心，不流一滴淚，咬牙出來主理業務。——雖只是大牌檔小店子，但千頭萬緒，自己得拿主意。

而爸爸也好狠心，從此音訊不通。

我是很崇拜爸爸的。——如同我媽媽一般崇拜他。

在我印象中(七歲已很懂事的了)，爸爸雖是粗人，不算高大，但身材健碩，長得英挺，他胸前還紋了黑鷹。

他不是我同學的爸爸那樣，拿公事包上班一族。他的工作時間不定，即是說，廿四小時都忙。

我們的滷水鵝人人吃過都讚不絕口。每逢過年過節，非得預訂。平日擠在巷子的客人，坐滿店內外，桌子椅子亂碰，人人一身油煙熱汗，做到午夜也不能收爐。

最初，爸爸每天清晨到街市挑揀兩個月大七八斤重的肥鵝，大概四十至五十隻。……後來，他間中會上大陸入貨，說是更相宜，鵝也肥實嫩滑些。……

他上去次數多了。據說他在汕頭那邊，另外有了女人。——別人說他「包二奶」，憑良心說，我爸爸那麼有男人味，女人都自動投誠。附近好些街坊婦女就特別愛看他操刀斬鵝。還嗲他：

「阿養，多給我一袋滷汁。」

「好！」他笑：「長賣長有！」

爸爸的名字不好聽，是典型的泥土氣息。他喚「謝養」，取「天生天養」。但也真是天意，他無病痛，胸膛寬大。斬鵝時又快又準，連黑鷹紋身也油汪汪地展翅欲飛。

孔武有力的大男人生就一張孩兒笑臉。女人不免發揮母性。對於同性來向自己男人搭訕，我媽再不高興，也沒多話，反而我很討厭那些醜八怪。老想捉一隻蟑螂放進去嚇唬她們。

媽媽其實也長得漂亮。她從前是大丸百貨公司的售貨員，追求的人很多。但她驕傲、執着、有主見。她知道自己要甚麼。

——她只是逃不過命運的安排才遇上我爸的。

當她還是一個少女，某次她去游泳，沒到中途忽然抽筋，幾乎溺斃。同行的女同事氣力不足，幸得殺出個强壯的男人把她托上岸去。不但救了她，還同她按摩小腿，近半小時。

他手勢熟練，依循肌理，輕重有度。看不出粗莽的大男人可以如此節制，完全是長期處理肉類的心得。

「怎也想不到他是賣滷水鵝的。」媽媽回憶道：「大家都不相識，你竟非禮我老半天！」

他笑：

「我是你的救命恩人，你不過是我手上一隻鵝。」

她打了他十幾下。也許有三十下。自己的手疼了，他也沒反應。

她說：

「誰都不嫁。只愛謝養。」

外婆像天下間所有慈母一樣，看得遠，想得多。她不很贊成。只是沒有辦法。米已成炊。

大概是懷了我之後，便跟了他。

跟他，是她的主意。失去他，自力更生，也是她的主意。——由此可見，我媽媽是個不平凡的女人。

如果她不是遇上命中剋星，泥足深陷，無力自拔，她的故事當不止於此。

只是她吃過他的滷水鵝才一次，以後，一生，都得吃他的滷水鵝了。我也是。

爸爸是潮州人，大男人主義，他結交甚麼人，同誰來往，都不跟女人商議。但夫妻恩愛。後來，我知他練功夫，習神打——據說是一種請了神靈附身，便可護體，刀槍不入的武術。……還有些甚麼？我卻不知道了。

我們住在店子附近的舊樓，三樓連天台。這種老房子是木樓梯的，燈很黯，但勝在地方大，樓底高。又方便下樓做生意。房子是祖上傳下來的。

天台是爸爸的秘密。

因爲他的練功房便是天台搭建的小房間。練功夫很吵，常吆喝，所以有隔音設備，每當他舉重，或做大動作，便出來天台；如果習神打，便關上門拜神唸咒。——他的層次有多高，有多神，我們女人一點也不清楚。

只知他爲了保持功力，甚至增强，每十天半月，都「請師公上身」練刀。

有一次，我聽見他罵媽媽，語氣從未如此憤怒：

「我叫了你不要隨便進去！」

「練功房好髒，又有汗臭味，我同你清潔洗地吧。」媽反駁。

「我自己會打理。女人不要胡來！」

他暴喝：

「你聽着，没問准我不能亂動，尤其是師公神壇，——萬一你身子不乾淨，月經來時，就壞事了。」

又道：

「還毒過黑狗血！」

聽來煞氣多大，多詭秘。

而且，原來陽剛的爸爸，也有忌諱。

從此媽媽不再過問他的「嗜好」。

事實上她也忙不過來。

我們店子請了兩個人。但媽媽也得親力親爲，她也清潔、洗刷、搬桌椅、下廚、招呼……，總之老闆娘是打雜。甚麼都來，都摸熟門徑，連巨大的鵝都斬得頭頭是道，肢解十分成功。到了最後，爸爸是少不了她的助力，這也是女人的「心計」吧。不知誰吃定誰了。

不過工人都在月底支薪水，他們付出勞力，換取工資，這是合情合理的。只有我媽：

「我有甚麼好處？——我的薪水只是一個男人。」

她又白他一眼：

「晚上還得伴睡。」

我媽以爲她終生便是活在「潮州巷」，當上群鵝之首。

爸爸忽地有了一個女嬰，沒有「經驗」，十分新鮮，把我當洋娃娃。或另一個小媽媽。

他用粗壯的手抱我，親我，用鬍子來刺我。洗澡時又愛搔我癢，水濺得一屋都是。——到我稍大，三歲時，媽媽不准他幫我洗澡。

他涎着臉：

「怕甚麼?女兒根本是我身體一部份。我只是『自摸』。」

媽媽用洗澡水潑他。我加入戰圈。

有時他喝了酒，有酒氣，用一張臭嘴來烘我。長大後，我也能喝一點，不易醉，一定是兒時的薰陶。想不到三歲童稚的記憶那麼深沉。

媽媽也會扯開他。

他當天發誓來討好：

「别小器，吃女兒的醋！——我謝養，不會對陳柳卿變心！」

「萬一變心呢？」

「——萬一變心，你最好自動走路！」

又是啪啪啪一頓亂打。媽媽的手總是在他的「那個部位」。

也許我最早記得男女之間的事，便是某一個晚上，天氣悶熱，我被枕上的汗潮醒。但還沒完全醒過來。迷糊中……

爸爸和媽媽沒有穿衣服，而薄被子半溜下床邊。床也發汗了。

爸爸在她身上起伏聳動。像一個屠夫。媽媽極不情願，閉目皺眉，低吟：

「好疼！怎麼還要來——」

又求他：

「你輕點。……好像是有了孩子！」

爸爸呼吸沉濁。獰笑：

「女人的事我怎麼知道？哪按捺得住？剛才沒看真，我——就當提早去探——」

還沒說完，媽疼極慘然喊道：

「不好了不好了，你出來出來——」

發生甚麼事？

後來，我偶爾聽見媽媽不知同誰講電話，壓低聲線，狀至憔悴。多半是外婆：

「血崩似的，保不住——」

又說：

「我拿他沒辦法——」

又說：

「以後還想生啊……」

又說：

「他倒掌摑了自己幾下，但又怎樣呢。沒有同他說，不說了——」

有點發愁。很快，抖擻精神到店裏去。

雖然有了我，我知道爸爸還是想要一個兒子。潮州人家重男輕女。不過他待我，算是「愛屋及烏」吧。

他倆都要做生意，便託鄰居一個唸六年級的姐姐周靜儀每天順便帶我上學放學。回家後我會自動做好功課才到店子去。

我明白唸書好。

如果我一直讀上去，我跳出大油大醬洪爐猛火的巷子機會就大些了。——即使我崇拜爸爸，可我不願做另一個媽媽。尤其是見過外面知識和科技的世界。今天我回想自己的宏願，没有後悔。

因爲，爸爸亦非一個好丈夫。

每當媽媽念到他之狂妄、變心，把心思力氣花在另一個女人身上時，她惱之入骨，必須飽餐一頓，狠狠地啃肉嚼骨吮髓，以消心頭之恨。「吃」，才是最好的治療。另一方面，她一意栽培我成材，希望寄託在我身上了。

我唸書的成績中上。

我是在没有爸爸，而媽媽又豁出去展本事把孩子帶大的情況下，考上了大學，修工商管理系。

在大學時我住宿舍，畢業後在外頭租住一個房間，方便上下班。漸漸，我已經不能適應舊樓的生涯，——還有那長期丟空發出怪味的無聲無息的天台練功房，我已有很多年沒上過天台去。

爸爸沒跑掉之前，我也不敢上去，後來，當然更沒意思。

不過，我仍在每個星期六或日回家吃飯。有時同媽媽在家吃，有時在新開的店裏。我們仍然享受美味的，令人齒頰留香的滷水鵝。——吃一生也不會厭！

而客人也讚賞我們的產品。

以前在鄰檔的九叔，曾不得不豎起大拇指：

「阿養的老婆好本事，奇怪，做得比以前還好吃呢。味道一流。阿養竟然揀個大陸妹，是他不識寶！」

媽媽當時正手持一根大膠喉，用水沖洗油膩的桌椅和地面。她淺笑一下：

「九叔你不要笑我了。人跑了追不回。幸好他丟下一個攤子，否則我們母女不知要不要喝西北風。月明也沒錢上大學啦！」

她又冷傲地說：

「他的東西我一直沒動過，看他是否真的永遠不回來！」

九叔他們也是夫妻檔。九嬸更站在女人一邊了：

「這種男人不回來就算了。你生意做得好，千萬不要白白給他，以免那狐狸精得益！」

「我也是這樣想。」媽強調：「他不回來找我，我就不離婚，一天都是謝太。——他若要離，一定要找我的。其實我也不希望他回來，日子一樣的過。」

她的表態很矛盾。——她究竟要不要再見謝養？不過，一切看來還是「被動」的。

問題不是她要不要他。而是他要不要她。

大家見婦道人家那麼堅毅，基於同鄉一點江湖義氣，也很同情，沒有甚麼人來欺負，——間中打點一些茶錢，請人家飽餐一頓，拎幾隻鵝走，也是有的。

媽媽越來越有「男子」氣慨。我佩服她能吃苦能忍耐。她的脖子也越來越長，像一條歷盡滄桑百味人侵的鵝頸。

她是會家子，最愛啃鵝頸，因爲它最入味，且外柔內剛，雖那麼幼嫩，卻支撑了厚實的肉體。當鵝一隻隻掛在架子上時，也靠鵝頸令它們姿態美妙。這爿新店，真是畢生心血。

「媽，我走了，明天得上班。」

她把我送出門，目光隨我一直至老遠。我回頭還看見她。

她會老土地叮嚀：

「小心車子。早起早睡，有空回家。」

她在我身上尋找爸爸的影子。

但他是不回家的人。

我轉了新工。

這份新工是當秘書。

女秘書？律師樓的女秘書？

這同我唸的科目風馬牛不相及。——也是我最不想幹的工作。

近半年來經濟低迷，市道不好，很多應屆的大學畢業生也找不到工作。我有兩三年工作經驗，成績也不錯，情況不致糟到「飢不擇食」。

我是在見過我老闆，唐卓旋律師之後，才決定推掉另一份的。我知道自己在幹甚麼。

——唐卓旋「本來」是我老闆。

後來不是了。

當我上班不到一星期，一個女人打電話來辦公室。

我問：

「小姐貴姓？」

「楊。」

「楊小姐是哪間公司的？有甚麼事找唐先生？可否留電話待他開會後覆你？」

我禮貌地盡本份，可她卻被惹惱了：

「你不知我是誰嗎？」

又不耐煩：

「你說是楊小姐他馬上來聽！」

她一定覺得女秘書是世上最可惡的中間人。比她更瞭解男朋友的檔期、行蹤、有空没空、見誰不見誰……。甚至有眼不識泰山！女秘書還掌握電話能否直駁他房間的大權？一句「開會」，她便得掛線？

她才不把我放在眼內。

唐律師得悉，忙不迭接了電話，賠盡不是。他還吩咐我：

「以後毋須對楊小姐公事公辦了。」

楊小姐不但向男人發了一頓脾氣，還用很冷傲的語氣對我說：

「你知道我是誰了，以後便不用太嚕囌。」

「是。」

我忍下來。記住了。

我認得她的聲音。知道她的性格。也開始瞭解她有甚麼缺點男人受不了。

唐律師着我代訂晚飯餐桌餐單，都是些高貴但又清淡的菜式，例如當造的白露筍。

楊瑩是吃素的。

她喜歡簡單的食物，受不了油膩。她認爲人要保持敏銳、警覺、冷靜，便不能把「毒素」帶到身體去。她的原則性很強。

唐卓旋說：

「她認定今時今日的動物都生活得不開心，還擔驚受怕，被屠宰前又因惶恐而產生毒素，血肉變質。人們吃得香，其實裏頭是『死氣』。」

因爲相信吃肉對人没有益處，反而令身體受罪，容易疲倦，消化時又耗盡能量，重油多糖濃味，不是飲食之道。云云。

「你呢？」我問唐卓旋：「你愛吃肉嗎？」

「我無所謂，較常吃白肉，不過素菜若新鮮又真的很可口。也許我習慣了女朋友的口味。」

唐律師笑：

「上庭前保持敏銳清醒是很重要的。」

我說：

「我知道了。」

有一天，他忽地囑咐我用他名義代送花上楊瑩家。我照做了。他強調要送白色的百合。

沒反應。也沒電話來。他打去只是錄音。手機又沒開啓。我「樂不可支」。

第二天、第三天……。再送花。

送到第七天，他說：

「明天不用再送了。」

我說：

「我知道了。」

又過了兩天，他問我：

「星期日約了一些同行朋友出海，不想改期，你有空一起去嗎？」

我預先研究一下他們的航行路線。

若是往西貢的東北面，大鵬灣一帶，赤洲、弓洲、塔門洲，都面臨太平洋，可以釣魚。我還知道該處有石斑、黃腳鱲、赤鱲……等漁產。建議大家釣魚。

——而且楊瑩又不去，她在，大家避免殺生，沒加插這節目。

同行雖如敵國，但出海便放寬了心。

我們準備了釣竿魚絲，還有鮮蝦和青蟲做餌。還加上「誘餌粉」，味道更加吸引。

只要肯來，便有機會上鈎。

遊艇出海那天，一行八人。清晨七時半集合，本是天朗氣清，誰知到了下午，忽現陰霾，還風高浪急。

船身拋來拋去，起伏不定，釣魚的鋪排和興緻也沒有了。

「本來還好有野心，釣到的魚太小，馬上放生，留個機會給後人。」

在西貢釣魚，通常把較大的魚穫拎上岸，交給成行成市的酒樓代爲烹調上桌。但今天沒有甚麼好東西，無法享受自己的成果。

我連忙負荆請罪：

「各位如不嫌遠，我請客，請來我家小店嚐嚐天下第一美食。」

一聽是「上環」！有人已情願在西貢碼頭吃海鮮算了。我才不在乎他們。

「老闆給我一點面子——」我盯着目標，我的大魚。看，我已出動「誘餌粉」：「你又住港島，橫豎得駕車回家。他們不去是他們沒口福。」

他疑惑：

「你家開店嗎？」

又問：

「是甚麼『天下第一美食』？——你並非事必要說，但你現在的話，將來便是呈堂證供。話太滿對自己不利。」

「保證你連舌頭也吞掉！」

我知道他意動。——他今天約我出海便是他的錯着了。以後，你又怎可能光吃白肉？

「你根本没吃過好東西。」我取笑：「你是我老闆我也得這樣說。」

「別老闆前老闆後。」他笑：「我不知你也是老闆。」

在由西貢至上環的車程中，我告訴他，我和媽媽的奮鬥史。他把手絹遞給我抹掉淚水。

一看，手絹？

當今之世還有男人用手絹嗎？

——「循環再用」，多麼環保。

我們是層次不同實質一樣的同志。

我收起那手絹：

「弄髒了，不還你了。」

望着前面的車子。人家見了黃燈也衝。他停下來。

「隨便，不還沒關係，我有很多。」

我說：

「以爲二三十年代的人才用手絹。」

「我鼻敏感，受不了一般紙巾的毛屑。」

太細緻了，我有點吃力。

但我還是如實告訴他，我們的故事。——不能在律師跟前說謊，日後圓謊更吃力，他們記性好。

我——不——說——謊。

我斜睨他一下：

「我們比較『老百姓』，最羨慕人嬌生慣養。真的，從來沒試過……」有點感慨。

我們雖然是女人，但並不依賴，也不會隨便耍小性子，因爲獨立謀生是講求人緣的。

但我們也是女人，明白做一個男人背後的女人很快樂，如果愛他，一定尊重他，可惜男人總是對女人不起。——我們沒人家幸福就是了。他用力摟摟我肩膊。

不要緊，我們還有滷水鵝。

果然，滷水鵝「征服」了他的胃。

他一坐下，媽媽待如上賓。

先斬一碟滷水鵝片。駕輕就熟。

挑一隻最飽滿的鵝，滷水泡浸得金黃晶瑩，泛着油光，可以照人。用手一摸鵝胸，刀背輕彈。親切地拍拍它的身子，放在砧板上，望中一剖，破膛後還有滷汁漏出，也不管了，已熟的鵝，攤冷了些才好揮刀起肉，去骨。嚓嚓嚓。飛快切成薄片，排列整齊，舀一勺陳滷，汁一見肉縫便鑽，轉瞬間，黑甜已侵佔鵝肉，更添顏色。遠遠聞得香味。再隨水拈一把芫荽香菜伴碟……

「媽，再來一碟帶骨的。加鵝頸。」

淨肉有淨肉好吃，但人家是食髓知味，骨頭也有骨頭的可口。

接着，廚房炒了一碟蒜茸白菜仔、一碟鵝腸鵝紅、沙爹牛肉、蠔烙、滷水豆腐(當然用滷鵝的汁)、凍蟹、胡椒豬腸豬肚湯……，還以檸檬蒸烏頭來作出海釣魚失敗的補償。——以上，都不過是地道的家鄉菜，是滷水鵝的配角。鵝的香、鮮、甜、甘、嫩、滑……，和一種「肉慾」的性感，一種烏黑到了盡頭的光輝燦爛，是的，他投降了。着魔一樣。

唐卓旋在冷氣開放的小店，吃得大汗淋漓，生死一線，痛快地灌了四碗潮州粥。

以大力鼓掌作爲這頓晚飯的句號。

我道：

「我吃自家的滷水鵝大的，吃過這黑汁，根本瞧不起外頭的次貨。」

媽媽滿意地瞅着他：

「清明前後，鵝最肥美，這滷汁也特別香。」

「是嗎？爲甚麼是清明呢？」他問。

「是季節性吧，」我說：「任何動物總有一個特定的日子是狀態最好的。人也一樣啦。」

「對對，也許是這樣。」媽一個勁說：「其實我賣了十多廿年的鵝，只有經驗，沒有理論。」

「伯母才厲害呢。白手興家，不簡單。」

有男人讚美她，媽媽流露久違的笑意。她是真正的開心。因爲是男人的關係吧。

我把這意思悄悄告訴唐卓旋，他笑，又問：

「説她不簡單，其實又很簡單。」

是的。她原本就很簡單。——沒有一個女人情願複雜。正如沒有一個女人是真正樂意把「事業」放在第一位。

「你爸爸喚『謝養』，照説他不可能給你改一個『謝月明』的名字。」他問：「是不是在月明之夜有值得紀念之事？」

「不是。」

「有月亮的晚上才有你？所以謝謝它？」

「哪會如此詩意？」我故意道：「——不過因爲這兩個字筆劃簡單。」

他抬頭望月。又故意：

「月亮好圓！」

「唐卓旋你比我爸爸更沒詩意！」

唐卓旋後來又介紹了一些寫食經的朋友來，以爲是宣傳，誰知人家早在寫「潮州巷」的時候，已大力推介。我們還上過電視。——他真笨！一個精明的律師若沒足夠的八卦，不知坊間發生過甚麼有趣事兒，他也就不過活在象牙塔中的素食者。

他祖父生日那天，我們送了二十隻滷水鵝去。親友大喜。口碑載道。

我的出身不提，但作爲遠近馳名食店東主的女兒，又受過工商管理的教育（雖然在鵝身上完全用不着），是唐律師的得力助手，我是一個十分登樣的準女友。

我知道，是滷水鵝的安排。是天意。

日子過去。

我對他的工作、工餘生活、起居、喜怒哀樂，都瞭如指掌。

他手上有一單離婚官司在打，來客是名女人，他爲她爭取到極佳的補償，贍養費數字驚人。

過程中，牽涉的文件足足有七大箱，我用一輛手推車盛載，像照顧嬰兒般處理。——因爲這官司律師費也是個驚人數字。

法官宣判那天，我累得要去按摩。

他用老闆的表情，男友的語氣：

「開公費，開公費。」

我笑：

「還得開公費去日本泡溫泉：治神經痛、關節炎，更年期提早降臨！」

也有比較棘手的是：一宗爭產的案件。一個男人死後，不知如何，冒出一個同他捱盡甘苦的「妾侍」，帶同兒子，和一份有兩名律師見證的遺囑，同元配爭奪家產。

元配老太太唸佛，不知所措。

大兒子是一間車行的股東之一，與唐卓旋相熟，託他急謀對策。

律師在傷腦筋。無法拒絕。

我最落力了。我怎容忍小老婆出來打倒大老婆呢？——這是一個難解的「情意結」。

雖然另一個女人是付出了她的青春血淚和機會。

我咬牙切齒地說：

「唐律師，對不起，我有偏見，——我是對人不對事。」

他沒好氣。權威地木着一張臉：

「所以我是律師，你不是。」又囑：「去訂七點半的戲票，讓我逃避一下。」

太好了。

電影當然由我挑揀。——我知道他喜歡甚麼片種。

他喜歡那些「盪氣迴腸」的專門欺哄無知男女的愛情片。例如「鐵達尼號」。奇怪。

散場後，我們去喝咖啡。咖啡加了白蘭地酒。所以人好像很清醒又有點醉。

我說：

「在那麼緊逼的生死關頭，最想說的話都不知從何說起了。」

他還沒自那光影騙局中回過來：

「從前的男女，比較嚮往殉情，一起化蝶，但現代最有力的愛情，是成全一方，讓他堅強活下去，活得更好。——這不是犧牲，這是栽培。」

「男人比女人更做得到嗎？」

「當然。」他道：「如果我真正愛上一個人，我馬上立一張『平安紙』——」

「平安紙」是「遺囑」的輕鬆化包裝，不過交帶的都是身後事。今時今日流行立「平安紙」是因爲人人身邊相識或不相識的人，毫無預兆地便大去了。

我最清楚了。

「你自說自話，你的遺願誰幫你執行？」

「我在文件外加指示，同行便在我『告別』後處理啦——」

「這種事常『不告而別』的呀。」

「放心。既是『平安紙』，自有專人跟進你是否平安。」

他忽地取笑：

「咦？——你擔心甚麼？」

我沒有看他。

我的目光投放在街角的一盞路燈。悽然：

「不，我只擔心自己。——如果媽媽去了，我沒有資產，沒有牽掛的人，沒有繼承者……，你看，像我這樣的人，根本不需要『平安紙』的。」

生命的悲哀是：連『平安紙』也是空白迷茫的。

我站起來：

「我們離開香港——」

「甚麼？」

我說：

「是的——到九龍。駕車上飛鵝山兜兜風吧？看你這表情！」

在飛鵝山，甜甜暖暖的黑幕籠罩下來，我們在車子上很熱烈地擁吻。

我把他的褲子拉開。

我坐到他身上去。

他像一隻仍穿着上衣的獸……。

性愛應該像動物：——沒有道德、禮節、退讓可言。

把外衣扔到地面、掛到衣架，男女都是一樣的。甚至毋須把衣服全脫掉，情慾是「下等」的比較快樂。肉，往往帶血最好吃！

——這是上一代給我的教化？抑或他們把我帶壞了？

我帶壞了一個上等人。

……

是的，日子如此過去。

一天，我又接到一個電話。

我問：

「小姐貴姓？哪間公司？有甚麼事可以留話——」

「你不知我是誰嗎？」

「對不起，我不知道。」我平淡而有禮地說：「唐先生在開會。他不聽任何電話。」

「豈有此理，甚麼意思？我會叫他把你辭掉。」

「他早已把我辭掉了。」我微笑，發出一下輕俏的聲音：「我下個月是唐太。」

——我仍然幫他接電話。當一個權威的通傳，過濾一切。大勢已去了。

我不知你是誰！

我已經不需要知道了楊——小——姐。

結婚前兩天。

媽媽要送我特別的嫁粧。

我說：

「都是新派人，還辦甚麼『嫁粧』？」

她非要送我一小桶四十七歲的滷汁。

「這是家傳之寶，祖父傳給你爸爸三十年，我也經營了十七年。」

「媽，」我聲音帶着感動：「我不要。想吃自會回來吃。同他一齊來。」

我不肯帶過去。

雖然爸爸走了，可我不是。我不會走，我會伴她一生。

「你拿着。做好東西給男人吃。——它給你撐腰。」

「我不要——」

她急了：

「你一定得要——你爸爸在裏頭。」

我安慰她：

「我明白，這桶滷汁一直沒有變過，沒有換過。有他的心血，也有你的心血。」

「不，」她正色地。一字一頓：「你爸爸——在——裏——頭！」

我望定她。

她的心事從來沒寫在臉上。她那麼堅決，不准我違背，莫非她要告訴我一些甚麼？

「月明，記得有一年，我同爸爸吵得很厲害嗎？」

是的，那一年。

我正在寫 PENMANSHIP，串英文生字，預備明天默書。我見媽媽把一封信扔到爸爸的臉上。

我們對他「包二奶」的醜事都知道了，早一陣，媽媽查他的回鄉證，又發覺他常自銀行提款，基於女人的敏感，確實是「開二廠」。

媽媽也曾哭過鬧過，他一時也收斂些。但不久又按捺不住，反去得更勤。每次都提回來十幾隻鵝作幌子。

媽媽没同他撕破臉皮，直至偷偷地搜出這封「情書」。說是「情書」，實在是「求情書」。——那個女人，喚黃鳳蘭。她在汕頭，原來生了一個男孩，建邦，已有一歲。

後來我看到那封信，委婉寫着：

「謝養哥，建邦已有一歲大，在這裏住不下去。求你早日幫我們搞好單程證，母子有個投靠。不求名份，只給我們一個房間，養大邦邦，養哥你一向要男孩，現已有香燈繼後，一個已夠。兒子不能長久受鄰里取笑。我又聽説香港讀書好些，有英文學……」

爸爸不答。

媽媽氣得雙目通紅，聲音顫抖：

「你要把狐狸精帶來香港嗎？住到我們家嗎？分給她半張床嗎？」

她用所有力氣拎起所有物件往他身上砸：「這個賤人甘心做小的，我會由她做嗎？你心中還有沒有我們母女？——有我在的一天她也沒資格，這賤人——」

「不要吵了！」爸爸咆哮：「你吵甚麼？你有資格嗎？你也沒有註册！」

媽媽大吃一驚。

如一盤冰水把她凝成雪人。

她完全沒有想過，基本上，她也沒有名份，沒有婚書，沒有保障。她同其他女人一樣，求得一間房，半張床，如此而已。

——她沒有心理準備，自己的下場好不過黃鳳蘭。而我，我比一歲的謝建邦還次一級，因爲他是「香燈」！

雖然我才七歲，也曉得發抖。我沒見過大人吵得那麼兇。遍體生寒。

媽媽忽然衝進廚房，用火水淋滿一身。她要自焚。正想點火柴——

我大哭大叫。爸爸連忙把她抱出來，用水潑向她，沖個乾淨。他說：

「算了算了，我不要她了！」

那晚事情鬧得大，不消一天，所有街坊都自「潮州巷」中把這悲劇傳揚開去，幾乎整個上環都知道。

我們以爲他斷了。

他如常打牌、飲酒、開舖、游冬泳、買鵝、添滷、練功、神打……

他如常上大陸看他的妻兒。

刺鼻的火水味道幾天不散。——但後來也散了。

媽媽遭遇前所未有茫無頭緒的威脅。

她不但瘦了，也乾了。

但她仍如常操作，有一天過一天。每次她把滷汁中的渣滓和舊材料撈起，狠狠扔掉，那神情，就像把那個女人扔掉一樣。——可是，她連那個女人長相如何也不清楚。她此生都未見過她，但她卻來搶她的男人。她用一個兒子來打倒她。

她有唯一的籌碼，自己沒有。

扔掉了黃鳳蘭，難道就再沒有李鳳蘭、陳鳳蘭了嗎？

媽媽一天比一天沉默了。

在最沉默的一個晚上，左鄰右里都聽到她爆發竭斯底里的哭喊：

「你走！你走了別回來！我們母女沒有你一樣過日子！你走吧！」

說得清楚明確。驚天動地。

最後還有一下大力關門的巨響。

故意地，讓全城當夜都知道媽媽被棄。

爸爸走了，一直沒有回來過。

「——爸爸沒有走。」媽媽神情有點怪異：「他死了！」

我的臉發青。

「那晚他練神打，請『師公』上身後，拿刀自斬，胸三刀，腹三刀，背三刀，頸三刀……，斬完後，刀刀見血。」

他的功力不是很深厚嗎？每次練完神打，他裸着的上身只有幾道白痕，絲毫無損。——但那晚，他不行了……。

媽媽蹩在心底十七年的秘密，一定忍得很辛苦。

她沒有救他。沒有報警。

因爲她知道自己救不了。他流盡了血。……

以後的事我並不清楚。

在我記憶中，我被爸爸奪門而出，媽媽哭鬧不休的喧囂嚇壞了，慌亂中，那一下「砰！」的巨響更令我目瞪口呆，發不出聲音。因爲，我們是徹底的失去了他！

第二天，媽媽叫我跟外婆住幾日。她說：

「我不會死。我還要把女兒帶大。」

外婆每天打幾通電話回家，媽媽都有接聽。她需要一些時間來平復心情，收拾殘局。還有，重新掌廚，開舖做生意。

是的，她只閉門大睡了三天，誰都不見不理，包括我。然後爬起床，不再傷心，不流一滴淚，咬牙出來主理業務。

那時她很累，累得像生過一場重病……。

但她堅持得好狠。

原來請的兩個工人，她不滿意，非但不加薪，且借故辭掉，另外聘請。縱是生手，到底是「自己人」。——小店似換過一層皮。而她，不死也得蛻層皮。

此刻，她明確地告訴我：

「你爸爸——在——裏——頭！」

我猜得出這三天，她如何拚盡力氣，克服恐懼，自困在外界聽不到任何聲息的練功房中，刀起刀落，刀起刀落。把爸爸一件一件一件……的，徹夜分批搬進那一大桶滷汁中。

他雄健的鮮血，她陰柔的鮮血，混在一起，再用慢火煎熬，冒起一個又一個的泡沫與黑汁融爲一體。隨着歲月過去，越來越陳，越來越香。

也因爲這樣，我家的滷水鵝，比任何一家都好吃，都無法抗拒，都一試上癮，擺脫不了。只有它，伸出一雙魔掌，揪住所有人的胃。——也只有這樣，我們永遠擁有爸爸。

任他跑到天涯海角，都在裏頭，翻不過五指山。傳到下一代，再下一代……。

莫名其妙地，我有一陣興奮，也有一陣噁心。我没有嘔吐，只是乾嚎了幾下。奇怪，我竟然是這樣長大的。

我提一提眼前這小桶陪嫁的滷汁，它特別地重，特別珍貴。

經此一役，媽媽已原諒了爸爸。他在冥冥中贖了罪。

「你竟然不覺得意外？」媽媽陰晴不定：「你不怪責媽媽？」

怎會呢？

我一點也不意外。

一點也不。

媽媽，我此生也不會讓你知道：在事情發生的前一個晚上……

我看見了——

我看見了——

媽媽，我看見你悄悄上了天台，悄悄打開練功房的門，取出一塊用過的染了大片腥紅的衛生巾，你把經血抹在刀上，抹得很仔細、均勻。刀口刀背都不遺漏。當年，我不明白你做甚麼。現在，我才得悉爲甚麼連最毒的黑狗血都不怕的爸爸，他的刀破了封。他的刀把自己斬死。

——當然是他自斬。以媽媽你一個小女人，哪有這能力？

我不明白。但我記得。

媽媽，人人都有不可告人的秘密，你有，我也有。不要緊，除了它在午夜發出不解的哀鳴，世上没有人揭得開四十七歲的滷汁之謎。電視台的美食節目主持人太天真了。

我們是深謀遠慮旗鼓相當的母女。同病相憐，爲勢所逼，——也不知被男人，抑或被女人所逼，我們永遠同一陣線。

因爲我們流着相同的血。

吃着相同的肉。

「媽媽，」我擁抱她：「你放心，我會過得好好的，我不會讓男人有機會欺負我。」

她點點頭，仍然没有淚水。

「這樣就好。」

她把那小桶滷汁傳到我手中，叮囑：

「小心，不要潑瀉了。不夠還有。」

——在那一刻，我知道，她仍是深愛着爸爸的。

她不過用腥甜、陰沉而兇猛的恨來掩飾吧……。

鑰匙

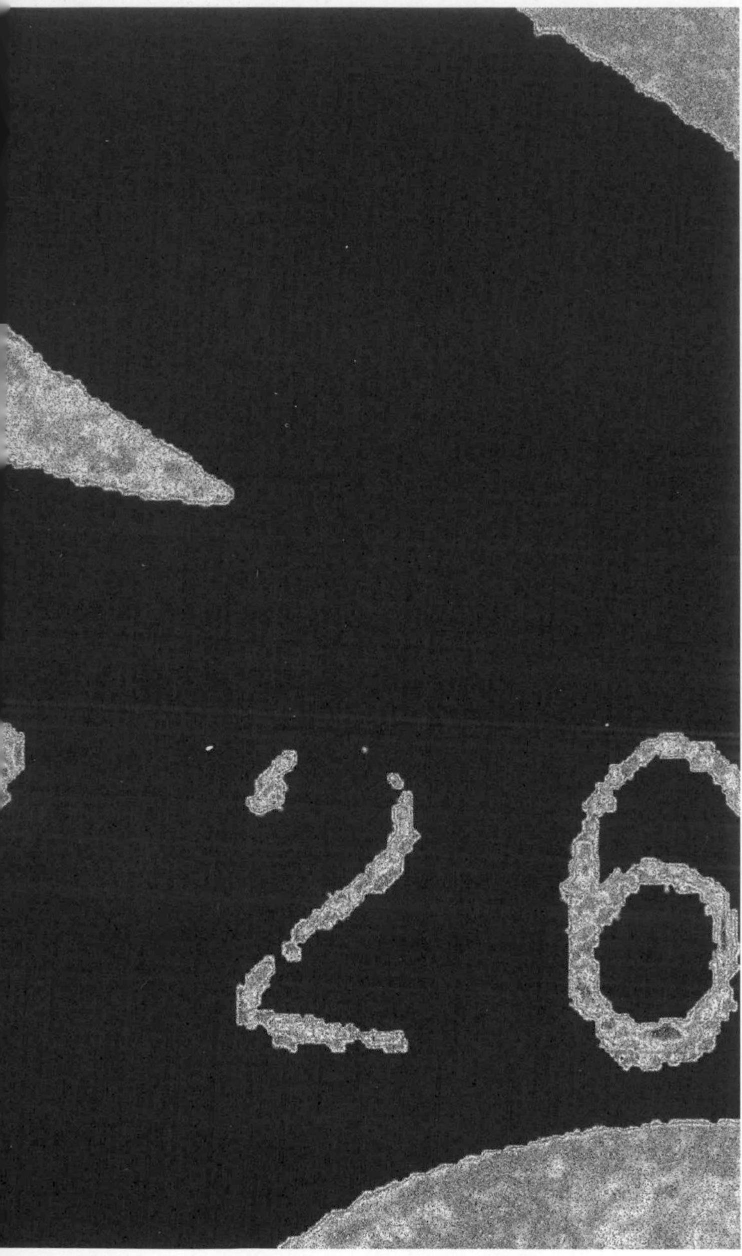
26

58

——吃燕窩糕的女人

我的冷汗像一條條小蟲，蠕蠕爬下來……。

回想最初，只不過是電話。

「鈴——鈴——」

電話響了。我知道又是這可惡的神秘人：「喂——喂——？」

果然！

我入伙才一個月，裝修、搬家、整頓一切，已累得半死，還要受這種無頭電話的折騰。——我猜「她」是女人，憑我對輕微呼吸的直覺。她好像逼切地找一個人，但又不敢開口。

不知這電話號碼上手是誰。但我有時工作至午夜，靈感被它打擾，實在太氣惱了。終於我向電話公司要求：如果來電拒絕顯示號碼，一律不接聽，或進入「電訊箱」留言。

間中，電訊箱仍有不肯留言的沉默來電，沒有號碼顯示。這個神秘人也許覺得沒趣，就放過我了。

我自加拿大回港五年，現在一家廣告公司當美術設計，包括天王歌星的CD、愛情小說，或大公司週年紀念的一系列推廣計劃及紀念禮品。

才從一個在股票市場慘敗，需賣樓套現救急的業主手上，超低價買入這七百多呎的單位，把牆全拆掉，所有間格打通，以强化玻璃分隔睡房、大廳和工作間。我甚至把浴缸也扔棄，改用企缸。

裝修個半月下來，全屋沒有一塊磚是原來的遺物。我把一間俗套的房子，佈置成自己的安樂窩，我終於自立了。

買這房子，是阿力介紹的地產代理特別留神。我以爲阿力有點「暗示」，但他沒有甚麼，只是忙自己的事。

我選用的顏色，是藍、白、灰、黑。主調很冷，但牆上掛上的，都是阿力的攝影作品。——他不是名家，器材也不名貴，他喜歡拍「動」的東西，體育性强的，稍縱即逝的。一個男人游泳時背部如豹的肌理、幾乎撞向民居的飛機……等等。

他與我是兩種人。

但我們是同類人。

一邊聽着LOU REED的『PERFECT DAY』和『SEX WITH YOUR PARENTS』，我攤開一地試用APS超廣角鏡頭相機拍下的生活照，捕捉感覺。

仍未到「死線」，所以我的心懶散得很，把罐頭洋葱湯幹掉，吃了一條法國麵包，羊奶軟芝士也報銷了，癱瘓在沙發上，電視正播放世界盃。

四年前，也是世界盃的大日子，我在銅鑼灣一家酒吧認識阿力。那時我剛回港不久，我們晚晚泡在一起。但這幾天，我的流動電話沒有他的聲音。他只來看過裝修兩次。像局外人，而我卻把他的作品都放在當眼的地方。多配了一條門匙，還沒交到他手上。——「我的大門隨時讓你打開」？這情形有點可笑。也可恨。

球賽在三十七度酷熱的法國舉行。足球無休止地動彈不安。我在冷氣間渴睡起來。

然後我便睡着了。

如同所有前途無限的新中產階級一樣，在一個「繭」中工作、通訊、吃喝玩樂、睡覺。追求賞心悅目，但嚮往風平浪靜。

我的房子簡單、通透，很舒服。——我只需頭腦亢奮便成了。

忽地門鈴響起來，是郵差送來掛號信。我看看鐘，已經是上午十一時了。

那封信由銀行發出。

我沒有存錢在這銀行，不是他們客户。

銀行通知我，保險箱到期了，請我去辦理手續。收件人：『PAUL CHIU』，是我英文名字。不過我在任何文件上，都用「趙品軒」的譯名，所以我懷疑這信不是給我的。

不理它。

隔了三天，掛號信又來了，務必要我去一趟。編號是B237ZQ。

我沒有甚麼貴重物品，也沒有秘密，不需放進保險箱中。唯一家當是屋契，但做了按揭，當然不由我保管。我回了銀行一個電話，告訴他們弄錯了。

「沒有錯，趙先生，是這個地址。——我們是依循留言通知你的。這留言是十年前所定的。」

「但我根本沒租用過保險箱，也從未交費。十年前我還在加拿大。」

「你是趙保羅先生嗎？PAUL CHIU？」

「我不會付你十年的欠款的！」

——但，費用早已付了。

我說：

「我沒有鑰匙，又不想要保險箱中的東西。你們把它扔掉好了。」

在經理面前，我無奈地攤牌：

「我不會付『爆箱』的費用，這一千元太冤枉。我只是希望你們不要再寄通知信來煩我！——再說，誰會預知我新居的地址？」

他把我的身份證交回：

「趙先生，身份證號碼相符，這B237ZQ裏頭的物件請你取回。當然你可以繼續租用。」

我錯了！

我不應該好奇，不應該亂動「人家」的東西。叫我萬劫不復。

——但我打開了那個保險箱。

有兩樣物件：一個黑布裹着的圓筒狀包包。一個不知是宣紙抑或玉扣紙所做的已變黃的信封。

我不知那包包會是甚麼奇怪的東西？或者先人的遺物？戰戰兢兢地掀開四角，誰知還有一層黑布，護衛森嚴。一層又一層，足有四層，最後，才見是一筒菲林。是已拍了照片，但似乎一直未被沖曬出來的底片。不是我們常見的牌子，而且是「大底」，即一二〇底片。現在一般人很少用這個。

不知道這「不見天日」的菲林，潛藏在黑暗之中的神秘光影，是令人「驚艷」或「驚懼」，究竟是誰拍攝呢？

我更好奇了。在此刻，我是無論如何也要帶走，非把它沖曬出來不可。

至於另一個古老的信封，又輕又薄，好似是空的。我拈起，望光照一照，有個影兒。微重。打開信封，不費勁，它已裂，是紙變質了。

一條小巧玲瓏的鎖匙掉下來。我接不住。太小了，落地無聲，幾乎還隱沒在地面。我把指頭變換了姿勢和方向才把它給「夾」上來。我怕它會無緣無故地消失，有點緊張，趕快用銀行的厚紙信封給盛好，摺了兩下，放進口袋中，再拍一下，肯定它存在。

經理爲我辦妥退租手續，他有專業操守，絶不多言。只是我問：

「這兩樣物件奇怪嗎？」

他笑：

「顧客可在保險箱中放任何『寶物』。甚麼都有，千奇百怪。例如威士忌、果醬、氈帽、骨灰、色情刊物、情信、死者的頭髮、名畫、標本，其他保險箱的鑰匙……。」

「這是另一個保險箱的鑰匙嗎？」

「不像。」他含蓄地：「不便亂猜。——多半是女人的箱子用，那麼精緻。」

「希望找到一個箱子給它開啓。」

——但這是不可能的。

我試過新居中所有的鎖：門、窗、行李箱子、鼻煙壺、音樂盒、電腦、抽屜……，當然不適用，因爲它們根本不是它的主人。而我也沒太多鎖。

那筒黑白菲林，因是舊式，一般沖曬店不做這生意，或需時七至十天。

我回到公司，請攝影組的小李幫我趕出來。一衆熱情地參與這樣荒謬的「侵犯」人家私隱的勾當。雖然我是被逼承受了它。

不久，我見到沖曬的效果了。微粒很粗。

小李皺着眉：

「這菲林是不是擱了很久？都變了，藥水起不了作用，你看——」

照片出來是正方形的，共十二張。但十張模糊不清，人面是一片白影，或像用手抹過不想人見到。甚至不能肯定是人像。兩張僅僅見到一隻白手套，是二三十年代那種絹質，有玫瑰花，花心是珠子，還飾白羽毛之類。因照片只有黑白二色，我認爲是白手套，手套很長，及肘。是女人的手。

女人的手拈着一條白色（假設是白色）的糕點往嘴邊送。旁邊有個盒子，只見一角，約莫是「齊」、「心」兩個字。

小李問：

「誰可猜到是甚麼字？甚麼『齊心』？」

史提芬對美術字體有研究：

「不是『齊心』，是『心齋』。」

阿美問：

「會不會是日本OSAKA的『心齋橋』呀？」她是漢奸，每年兩次到日本換季。

「不。『齋』下面沒有字。而『心』太小，應是個組合的字，例如『志』、『意』、『恩』、『怨』之類。」

我看到盒子另一角有「燕窩糕」。這個女人一定在吃着燕窩糕……。

經了一番追查，又問電話公司，我還驚動了母親大人。

其實，我很不願意驚動她。

她送我上機，又接我回港。日子過去了。

但我搬出來獨立生活，有一半原因，是避免她追問我和阿力的關係。——雖然我曾安排她「無意中」遇到我同女同事一起(阿美也客串過)，起「澄清」作用。但性取向如同咳嗽和貧窮一樣，是無法隱瞞的。

即使將來不是阿力。但她一雙漸不過問我感情，不提娶媳婦的敏感問題，在靜夜中又在我身後稍駐的哀傷的眼睛，它們開明卻無奈，這是我不希望接觸，卻如芒刺在背的。

我不喜歡女人。——只除了母親。

得空我會給她打電話，客氣但關懷。——因關懷，常報喜不報憂。

她說：

「燕窩糕『陳意齋』最有名，是招牌貨。這店有近百年歷史了。」

她還告訴我：

「我小時候發熱，不肯吃飯，也吃過燕窩糕。當年你外婆哄我，算是矜貴的零食呢。」

我没吃過。

不知這個裝扮得那麼用心的，愛吃燕窩糕的女人是誰呢？——她不讓我見到她，但又「出現」了。她究竟是誰？是請託我做點甚麼事嗎？我滿腹疑團。

乘機把這怪事告訴阿力。

這陣子找他不容易。日間，他去了搶拍「最後的啓德」；夜裏，忙看世界盃。

由於赤鱲角新機場正式啓用，建立了七十三年，經歷過日軍炮火的啓德舊機場退出歷史舞台，成爲陳蹟。

我印象中，廿四歲在航空公司工程部工作的阿力，最漂亮的一刻，是相識不久，他帶我去看他拍攝飛機。

他花了一千八百元買的接收器，可以監聽機師與控制塔之間的對話，所以他捕捉「巨鳥」雄姿十分準確。

每當他拍到一幀「險象橫生」的照片，都像個小孩般興奮莫名：

「嘩嘩！我等了你老半天了。飛得最低是這架！」

當我致電阿力時，隔着大氣電波，彷有離情。

「我現在一間舊樓天台『觀鳥』，」他亢奮地說：「付了業主幾百元他才肯開鎖讓我們來拍照的——有飛機有飛機——拍完才覆你。」

我聽到遙遠的一陣尖叫和呼喊，夾雜噓聲和欷歔。

「呀，BAD—LANDING！」

「捉住了没有？」

「鏡頭給雨沾濕了——」

——他們就像是男人罹了不治之症，現在最後一刻去製造回憶的「準寡婦」。

那時是黃昏，約四點半。微雨。九八年七月五日之前，「發燒友」都走遍了機場觀望台、九龍城廣場天台、酒樓或民居天台、觀塘碼頭、鯉魚門、飛鵝山、信號山、龍翔道……這些熱點，拍攝不同角度。即使天氣惡劣，也爭分奪秒。

——因爲時間不等待任何人。

啓德機場貼近密集的民居，不但飽受噪音之苦，飛機抵港低飛，還在屋頂「擦過」似的，快要壓近撞上了，才以「肚皮」相示。

它是世上最危險的機場之一。

——但，它要消失了，從此面目全非，轟隆的巨響不再令人厭煩、痛恨，反而成爲冷寂之前最後的懷念。一夜之間，啓德關燈作別。「沉默」了，整個九龍城都因寂寞失聰。

新機場設施先進，是花費七百多億港元興建的「新歡」。——人是記憶的奴隸？不，人都選擇自己想記得的。逝去的永遠是最好的。縱有千般不是，舊愛是難忘的。

我來不及告訴阿力，我手上也有已經逝去的東西。

關上電話。

他說拍完照片才覆我。——但他一直沒有。

藍天將黑未黑，招牌和光管剛亮。我竟走到皇后大道中一百九十九號地下的

「陳意齋」去。原來老店在廣州。一九二七年在香港成立了分店。

我買了燕窩糕。順便也買了些杏仁餅、牛肉乾、蝦子紮蹄、檸檬薑、辣椒欖、薏米餅……。

我知阿力晚上會到灣仔一家酒吧看世界盃。這是愛爾蘭特色的酒吧。早已擠滿球迷，透過84×62吋的電視大熒幕，粗口橫飛，群情洶湧。

那是一個十二碼罰球。

阿力連黑啤也不喝，與一衆他不認識的巴西擁躉在吵鬧。

我不知他們吵甚麼？

一個說球證太差勁，判錯了。

一個說拉扯球衣，判罰是公平的。

一個說他下了重注賭波，竟大熱倒灶。

……

我很喜歡看這些球迷的直接反應。——一一都像頑童。他們開心，便大叫大跳。一下子落空，毫不掩飾地獸性大發。喜怒哀樂繫於一個小小足球。

只有在這些場合，我們找到童真。——在粉飾昇平的世界中逃出來，走入原始土人部落。他們的精力用不完。

阿力有時是個故意抬槓的超級頑童。世上必有些死硬的「跟白頂紅」派。他們一點也不喜歡毫無新意的大熱門，最恨形勢一面倒，當所有人捧巴西，他們便聲援蘇格蘭或挪威，或克羅地亞，或法國。

這些人天生便愛「鋤强扶弱」、「劫富濟貧」，做不到俠盜、烈士，也得以口舌在千里之外奮勇表態。從來不肯跟風，不理時勢，不看實力，不管勝負之可能性，總之，心理上打到一切當權派，諂媚者，與及大多數群衆。

阿力不相信牌面，他的「反調」只消中過一次，便會講足一世。

我在那個烏煙瘴氣的酒吧中同他廝混了大半晚。大部份時間在聽他說話。

他扔給我一大疊飛機肚皮的照片，「一樹梨花壓海棠」的九龍城。

「這張最『完美』，」他指出：「有新、舊樓、大招牌、行車天橋、人群，還有客運大樓。——最精彩的是天色，好像含着眼淚。」

我見到他臉上的光輝，完全忘掉「燕窩糕」照片。——比起來，它是無地立足的「第三者」。

反而公司的同事比較關注。他們一邊吃一邊取笑。

「原來這些百年零食那麼好吃，我們像不像古人？」

小李叫我過去看電腦顯示屏：

「白手套放大，做了些效果，不很好，因爲色太差。盡人事。」

他指着一些影像：

「上面有個指環。這兒。指環的飾物——」

對了！

指環的飾物就是那條小巧玲瓏的鑰匙。——它不是鑰匙，它只是裝飾品，難怪世上没有供它開啓的鎖！

但是，爲甚麼呢？我仍然没有頭緒，我仍猜不透冥冥中誰給我這條鑰匙。

晚上，當我聽着『MAKE NO SOUND』和『TIJUANA LADY』，進入迷幻境界，開始我的功課時，母親大人來電。

「你吃到燕窩糕没有？」

「吃了。」我告訴她：「味道淡得像米，像忘了放糖。好了，我要工作了。」

「我小時候最喜歡那個盒子。」她不願擱下電話：「是『雪姑七友』，雪姑還讓小鳥停在她手背上唱歌。」

「不，他們早改裝了。」

我信手拈來一看。

或許那塊包裹着長條形，米白色，中間夾了些碎燕窩的糕點不變，——仍似一根白色的手指餅呢。但它的盒子是橙紅的漸變色，還有燕子圖案。寫上「老少咸宜，味淡有益，開胃補虛，滋水生津」，一點古意也沒有。

「店員說，政府要登上成份、重量、食用日期。咦？還有個編號——」

「這麼複雜？」

「58726——大概是出廠編號。現在的零食注重衛生，過期不能賣。」

「從前我們不講究這個，好像甚麼也不會過期。」

我對母親一向很心虛。所以她有點傷感，並懷疑我是鄰床錯換過來的洋人嬰兒。——她大概期待我買兩盒送給她（爸爸已對我棄權），但忘本的我竟然只記得急功近利有利用價值的同事！

我不孝！

我甚至沒有好好給她一個孫子抱。因爲弟弟品强會完成任務。

來世上一趟，爲甚麼要爲別人活？有那麼多包袱呢？

我們喜歡一個人，「喜歡」的過程已經是享受，我們心動、歡愉、望眼欲穿，他對我們好一點就可以了。——這種「折磨」有快感。

那有一生一世？

而我做這設計，開了個通宵。忘了瑣事，也忘了鑰匙。

門鈴響。

煤氣公司的職員上門抄錶。我正在看色版，着他自便。

「啊！你把廚房完全改掉。」

「對，上手業主的廚櫃竟用橙黃色，太老套，我很少煮食，都扔掉。其實微波爐就夠了。」

他熟練地打開中間那個廚櫃，記錄煤氣使用度數。

他笑：

「用不到十幾度。」

又道：「這個鐵箱子，最好改放別處。」

甚麼鐵箱子？

我向廚櫃內一看：

「這個箱子不是我的。」

「難道是我帶來放進去的？」

我搔着頭，百思不得其解。我搬來時，所有雜物全盤清理，一針一鈎，都是本人設計新添，個人風格。我決不會擱着一個奇怪的鐵箱子那麼礙眼，礙手礙腳。——我不知道它爲甚麼會出現？

我搬起它，不算重，但打不開，上下左右全看遍，没有鎖，没有匙孔。

我對這突如其來的古舊異物有點發毛。從地面冒出來，躲在煤氣錶的廚櫃內，非常隱密，又帶點嘲弄。我對空氣說：

「你不要作弄我！」

用力砸在地上，發出巨響，它紋風不動。我拿刀劈它，用腳踢它，用鎚敲它，用尖硬的錐撬它……，我肯定裏頭應該没有「生命」吧。

因這番蹂躪，人和鐵箱子都累了。

我竭盡所能搖撼它，突然，我見到在一側，有一排數字的齒輪，原來是密碼鎖。

於是，胡亂地撥動一些數字，這肯定是無效的。孤軍作戰的我頹然坐倒。望向桌面上的燕窩糕。——燕窩糕，你有甚麼玄機？吃燕窩糕的女人，你究竟想怎樣？你是誰？

58726！它的出廠編號。

我的心念電轉，急奔狂跳，58726，——鐵箱子——打——開——了！

它打開了！

我身子反而向後一退，它像一個張大的嘴巴，同時，我的嘴巴張得比它大。

喘定片刻，我再察看這陌生的，不屬於我，也不屬於我身處的時空的鐵箱子。

一隻白手套。手套已殘破，矚目的是染了些褐色的「東西」，已乾，凝成硬塊，是血嗎?是乾了的，經過歲月的血嗎?那隻手——不，那隻手套上，竟仍套着指環，但鎖匙飾物不見了。

在——我——處。

這回，真的見有一張昏黃的舊照，簽了上款：「吾愛」。下款是：「燕燕一九三三」。

燕燕?

這是一張唱碟封套。即我如今設計相類的功課。

封套中間挖空一個圓形，見到黑色唱碟的中心部份。抽出來一看，它砸得崩裂了一角。即我剛才粗暴的結果。

一九三三?

灌錄的主題曲，是：

「斷腸碑」

封套底印了歌詞：

「(中板)秋風秋雨撩人恨，愁城苦困斷腸人。萬種淒涼，重有誰過問。虧我長年惟有兩眼淚痕。(慢板)憶佳人，透骨相思，忘餐廢寢。……

龍鳳燭，正人燈花慘遭狂風一陣，苦不得慈悲甘露，救苦救難救返芳魂。俺小生一篇恨史，正係虛徒於問。問蒼天，何必又偏偏妒忌釵裙。天呀你既生人何必生恨，你又何必生人。莫非是天公有意將人來胡混。莫非是五百年前，債結今生？……」

燕燕穿二十年代的旗袍，前留海，濃裝，戴着白手套，手拈一朵玫瑰花，同手套上的珠花羽毛相輝映，要多俗艷有多俗艷。她七分臉，淺笑若無。人應不在，但手套染血……。

鐵箱子中，還有一個小盒子。

這個小盒子木造，雕細花、纏枝。有個小小的鎖。我拿出來，就燈光一看，赫然是以口紅寫上的：——

「趙保羅吾愛」

PAUL CHIU——沒可能！怎可能是我？

她怎可能用這種方法來找我？

我有生以來都沒見過她，沒愛過女人，我根本不愛女人，不認識燕燕，不吃燕窩糕。這是一個陷阱！

這是陰謀！

拎着那條小小的，但又重得不得了的鑰匙，我顫抖着。幾番對不上鎖孔。

我恐懼，冷汗滴下來，越來越寒，呼吸也要停頓，只要有一點異動，我一定彈地跳起，撞向天花板。我掙扎着，又極渴望知道真相，我快要知道「我是誰」了！——

「咔嚓。」

尋找蛋撻

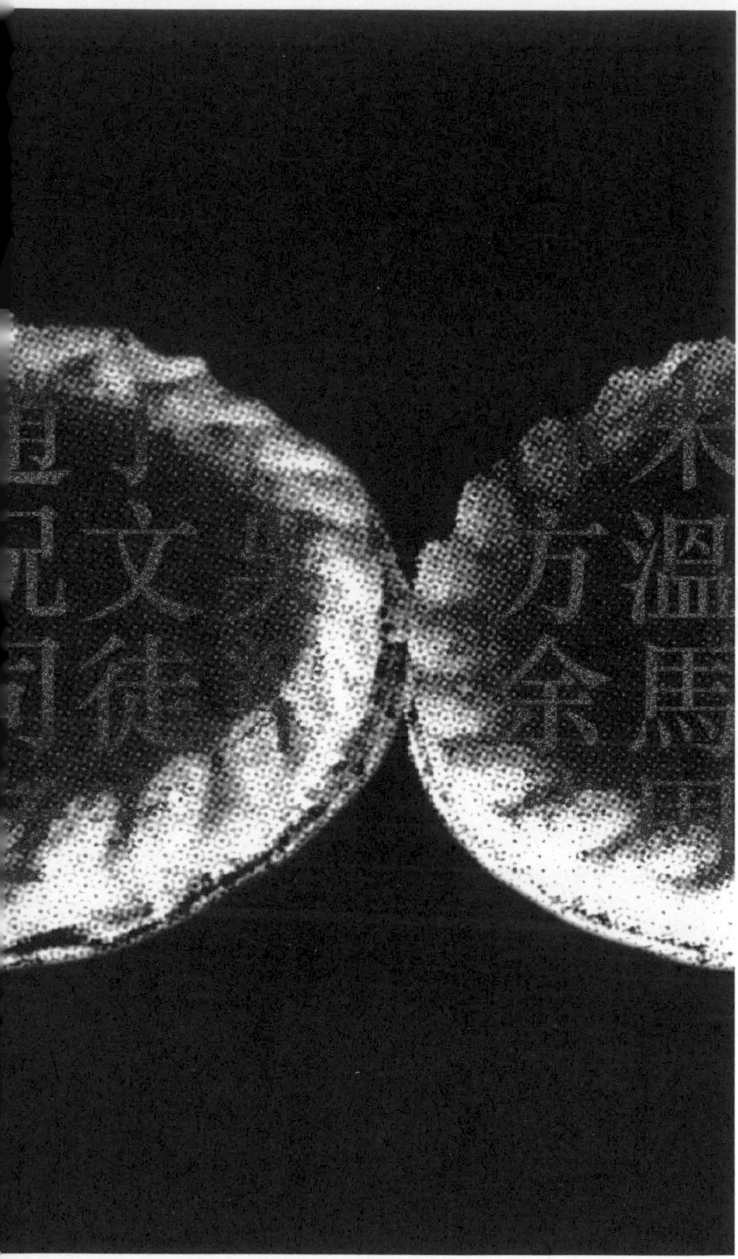
溫馬
方余
文律

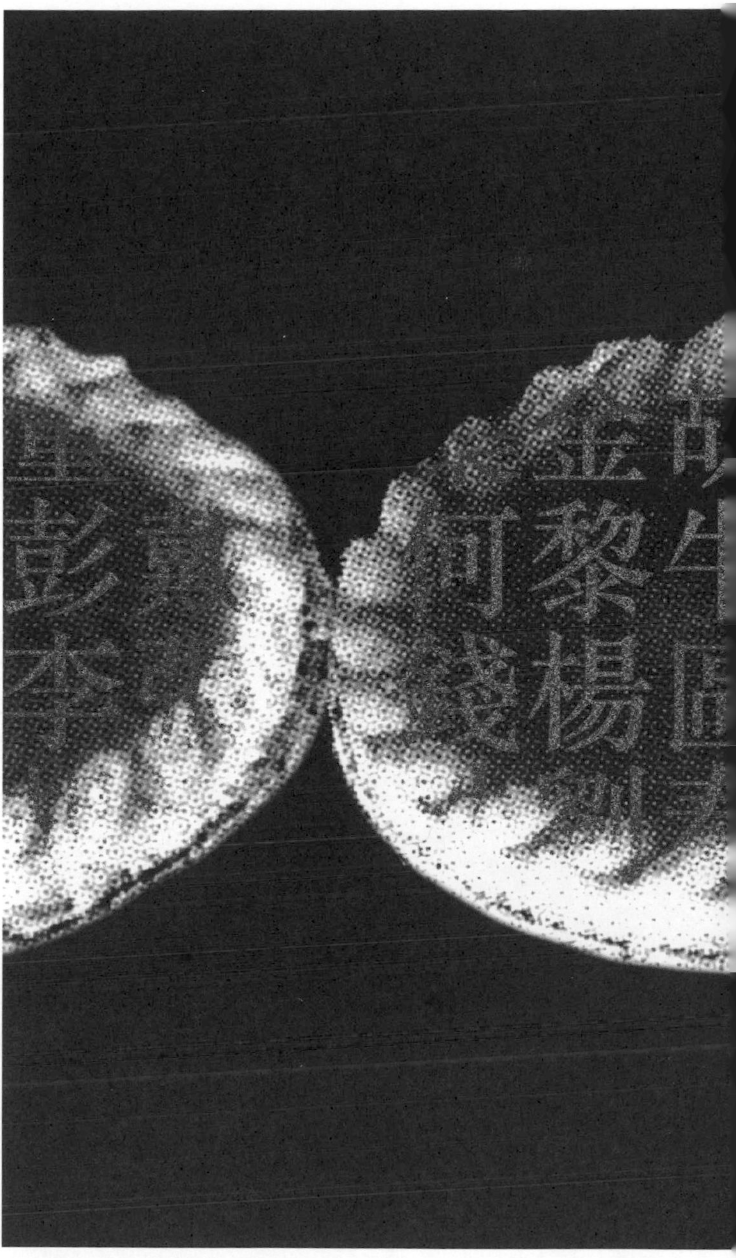
金黎楊劉
何
彭李

——吃蛋撻的女人

當我走過旺角一家店舖的門前，就被他們新鮮出爐的新產品吸引。

「葡式蛋撻」

馬上跟在人龍後面。

人龍很長，還繞了兩圈，十分壯觀。

很多人專程來購買，等上大半小時。

「葡式蛋撻」是新刮的小旋風，由澳門傳來香港，葡國小食**PASTEIS DE NATA**經過改良，成爲一種帶着「黑斑」的蛋撻。——這些表面的「黑斑」，其實是焦糖，外貌難看，入口香甜。

排着的隊伍寸進，終於我買到半打。

急不及待嚐了一口。太濃了。就像吃一塊脂肪。

我是一個尋找蛋撻的女人。

每逢有新產品上市，就受到牽引。前不久，才有「薑汁蛋撻」的「發明」。那些蛋撻很厚實，顏色比較沉重，黃色中帶點青。因爲有薑汁，所以微辣，味道很獨特。靈感一定來自薑汁撞奶。——但，蛋撻皮仍是非常糟糕的批皮，厚厚一兜來盛載蛋汁，似一個碗多過一個撻。

我想：「究竟在哪兒可以找到真真正正美味的可靠的酥皮蛋撻？」

傳呼機響了。導演留言那個巧格力廣告已落實：後天早上八點鐘通告。囑我別忘了給一雙手「打水晶蠟」。好好維修保養。

我並非天生麗質的模特兒，身材亦不是呼之欲出的一類，但，我是全港五名「賣手的人」中一位。有些商品需要成熟的手，如嬰兒紙尿片洗潔精；有些需要華麗的手，如鑽戒名錶；有些需要文藝的手，如鋼琴金筆；有些需要帶感情的手……。——作爲「幕後黑手」的「幕前白手」，完全無心插柳。

我的一雙手白淨修長，指節均勻，這是天賦。但我很少做家務拿重物。母親在時當然用不着，後來，也是姊姊負責，我可以專心唸書。——我明白自己一雙美手，其實是家人的溫情禮物。

本來在廣告公司會計部工作，現代人多用電腦少寫字，新一代的手，已經再也生不出厚繭來。完全沒有從前文化人的「情意結」。

父親的右手，卻因大半生都在寫字，所以連食指和中指也有「枕頭」。是他生命的指環，終生擺脫不了。

文化人喜歡買份報紙上茶樓品茗，或到茶餐廳歎下午茶。父親是個編輯，常帶我們兩姊妹去。當同作者聊天時，我便喝絲襪奶茶吃蛋撻。

自小就愛上蛋撻。

一流的蛋撻，廚房是一弄好便把整個鐵盤捧出來，鐵盤經了歲月，早已烘得烏黑。通常蛋撻出爐有定時，最早的大概七時三十分就有了，錯過一輪，得等第二輪第三輪，總是隔得好久，望眼欲穿。——有時不知如何，上午賣光了，要下午再來。

但一個個圓滿的蛋撻，是值得依依守候的。

它們在鐵盤上，排列得整整齊齊，爭相發放濃濃的蛋香、奶香、餅香……。

一流中的一流呢，應是酥皮的。油麵團和水麵團均勻覆疊，烘香後一層一層又一層的薄衣，承托那顫抖的、脹胖的、飽滿的、活活地晃盪，但又永遠險險不敢洩漏的黃油蛋汁，凝成微凸的小丘。每一搖動，就像呼吸，令人引不住張嘴就咬……。

蛋撻是不能一口全吃掉的。

先咬一口，滾燙得令嘴唇受驚，但捨不得吞。

含在嘴裏，暖熱而踏實，慢慢吃。此時酥皮會有殘屑，順勢灑下，一身都是。又薄又脆，沾衣亦不管。再咬第二口……。

直至連略帶焦黃但又香脆無比的底層亦一併幹掉，馬上開始另一個。

——通常，第二個沒第一個好吃。

……

「婉菁，再來一個——」

「OK。沒問題。」

鏡頭只拍我的手。拈起一顆金黃色裝的巧格力，打開它，黑褐色的身體中間有個血紅的心。手要「表達」十分感動，有點抖，有點喜悅，然後全盤投降。

化妝師過來給手補粉。然後取笑：

「咦，稍為用力點，粉都抖得掉到地上去。」

一直對我有微妙好感的導演説：

「CLOSE UP手的『表情』時收一些。但又不要太定，太定就很木。你不必忍着呼吸。」

纖纖玉手又再培養情緒開工。

每小時公價千多元的「賣手費」，當然比父親彎腰蹙眉筆耕拼版……，來得輕鬆。父親除了賣手，還賣腦。

一個好的腦，也像一個蛋撻。……

收工了。

燈一下子滅掉。公司有半箱巧格力，各人分一些當零食。我不愛導演遞來的巧格力。甜品的首選決非巧格力。

記得去年回歸日子越來越近，電視和報刊上都有彭定康這末代港督的回顧。

隨便打開一份，都見胖子在香港作親民訪問時，當街飲涼茶、吃「菠蘿油」、大口享受新鮮出爐的蛋撻。饞得很。

肥彭政績也許引起各界爭議，意見分歧，但他吃蛋撻時樣子很親切。古時的皇帝，每頓飯都命人「嚐膳」，以防被下毒。——但誰會捨得在一個香噴噴的熱蛋撻中下毒？不是辜負了人，是辜負了凡塵的豐足自由與溫飽，破壞了一切生活秩序。

蛋撻不貴，好的太少。而且人們在吃不到之前，不珍重它。

六七年暴動時我還沒出生，所以回憶中沒有左派土製炸彈「菠蘿」。父親從沒發達。我覺得香濃醉人的絲襪奶茶和蛋撻已經是盛世。——很諷刺，父親的名字是「歐陽貴」，人家常誤會他是前稅務局長「歐陽富」的兄弟。年年總有不少打工仔在納稅之時對稅局恨之入骨，歐陽富是慘遭咀咒的代號。每到稅關，同事便拿我開玩笑：

「請你爸爸的兄弟不要心狠手辣，追到我們走投無路！」

我笑：

「有得納稅比沒得納稅好，交很多很多的稅，是我畢生宏願。」

但，我沒這「資格」，父親不曾大富大貴，也沒這「資格」。稅務局長換了新人黃河生。而父親也不在了。後來，當教員的姊姊結婚了。不久，生了一個男孩。……

但覺過去相依的人相依的日子，也成爲「末代」。

父親貧窮而孤傲。報館因他眼睛不大好，勸他退休。歡送會搞得很熱鬧，但公司無意照顧他終老。父親死時且說：

「我近四十才生你倆，照顧的時間不夠。你媽一向嬌生慣養，但我的才華不能把她養到百年。我也怨過她短命，幸好她先去，我可代她操勞，作爲補償。若果我先去，她就辛苦了……。」

說來還好像有點慶幸。他着我去買半打蛋撻。我在醫院門外等的士，到了茶餐廳，又等蛋撻出爐。——買回來時，父親已昏迷，從這一刻開始，再也吃不到蛋撻了。實在痛恨世上竟有這樣的錯失。

我認爲父親是一流的男人。

每當吃蛋撻時，心情陰晴不定，不免又喜又悲。

失望的時候居多。我一直尋找好蛋撻。也尋找好男人。總不能長期住姊夫家，姊夫不是親人。我要尋找一個親如父親的丈夫。這真是相當困難的事，比民間保釣號要登上屬於中國領土但被日軍艦包圍侵佔的釣魚台更困難。後來它還被撞沉。

唸大學時，食堂中也賣小吃，當中有蛋撻。它不但永遠不熱，還永遠臉皮厚，又冷又硬。總叫人聯想起整容失敗貴婦的一張假臉，影響食慾。食堂只做師生的生意，沒甚麼賺頭，大家也沒甚麼要求。認識第一個男朋友沈家亮，他比我大一歲，但低一年。是個可樂迷，用可樂送蛋撻。

沈家亮習慣兩口吃掉一個。若是迷你蛋撻還一口一個，順喉而下。別人說「囫圇吞棗」，大概也沒他快捷。

我比較喜歡方奕豪。還是沈家亮等一群人同他慶祝生日時，上他家認識的。——我最先看中他的手：靈巧、敏銳、準確、豪放。他是一個電腦狂。電腦知識令我由衷敬佩。方奕豪擁有一百吋熒幕。三槍大投射、環迴立體音響、接駁電腦後玩 INTERNET……，幾乎每秒鐘，指頭翻飛永不言倦，好似世事都在運籌幃幄中。

既擁一百吋熒幕，當然需要遠距離享用：距離既遠，家居一定很大。

我覺得他很忙。他家的貓很寂寞。方家没甚麼人氣，爸爸中港兩地做地產生意，媽媽愛遊埠，兄姊都搬出去自建王國，伴着方奕豪的，是全城最熱鬧最昂貴最堂皇的「機器」。

每次上去，那頭慵懶的波斯貓，馬上趕來依偎。我撫摸牠的頭頸，牠瞇着臉五官皺成一團，快活得很痛苦，久旱逢甘。

當方奕豪飛一般地幫我做 PAPER 時，臉容如在高潮。是激烈的盤腸大戰。我抱着貓，牠已十歲，高貴冷漠中，透着渴望。在貓而言，十分「成熟」了，即使暗戀主人，亦得不到青睞。——牠是如此的過了一生。

「我想吃蛋撻。」

「你叫 MARIA 去買。」

「她怎麼懂？」

「叫泉哥駕車去吧。」

「我們不能一起走嗎？」

人們嚮往高樓、大屋、無敵海景……，窮一生心力去追求。但屋大人少，總有寒意。

司機泉哥先去電作訂。他買來的是太太上回讚不絕口的燕窩蛋撻呢。這家名店，以碎燕、鮮奶入蛋撻，包裝和口味都矜貴。——舊時王謝堂前燕，飛入尋常百姓家，泉哥不忘另買了兩客木瓜燕窩燉奶回來。

一嚐，燕窩蛋撻也許很養顏、滋潤，但我未必天天吃得起。此刻才不免自卑。——我怕自己會變成一隻波斯貓。

而他的手和我的手，即使是「郎才女貌」，卻是「聚少離多」，我告別了。

某日走過那家麵包甜品店，原來「薑汁蛋撻」銷路沒普通蛋撻好，試食期後便回落。有些主婦投訴小孩吃不得辣。

不要緊。繼續尋找。

市面上不斷有新貨，有些加入椰汁、木瓜茸、蜜瓜茸、士多啤梨裝飾。也有杏汁、雲耳、玉米、紅豆、花生醬……。

——但，沒有一個蛋撻，是原始、平凡、老老實實的酥——皮——蛋——撻，在裏腹的同時，也分飾了甜品。只吃兩個，就解決了一頓，令人溫暖。當我用愛心去吃它時，它以愛心回報。說來簡直有戀物癖。

肥彭就是我的「同志」。

在下英國旗的別離日，肥彭忽然發覺，他愛上了香港，他的女兒也梨花帶雨，流着淚，由父親肥大、溫暖的手，護送上了「不列顛尼亞號」，在淒風苦雨中，帶走了一個大時代，也帶走了蛋撻的靈魂。

我後來到他一度極力推崇的中環擺花街餅家，吃着蛋撻，但它們好似已散去了芳香。而香港人亦順利過渡，他們以爲九七是一個艱難的關卡，——後來才發覺，原來半年之後的亞洲金融風暴才更險峻。

只有「無產階級」才沒有損失，才是贏家。

星期天，走過地鐵站，見到一個洋乞丐，手持大紙牌：「我是法國人，錢包被偷去，無法回國，請多幫忙！」報上不是揭發過他利用港人同情心行乞嗎？他是高大的男子漢，何以仍樂此不疲？

進了地鐵車廂，見有空位，剛想坐下，忽地橫來一個男人，以高速欺身佔坐，厚顏地打開報紙埋頭細閱。對面有男人在剪指甲。超級市場中有個男人，把減價的果汁價錢牌偷偷掀起，看看自己可以佔了多少便宜？而不管是否過期。

……

在一個商場閒逛時，有人喊：

「婉菁！」

我回頭，是一家可樂專門店。

原來是沈家亮。畢業後多年不見，各有高就。

他沒有打工，卻當起老闆來。

他的店子，專賣可樂產品。例如手錶、音樂匣、可樂罐、懷舊瓶、磁貼、收音機、相機、吹氣玩具、雪櫃錢箱、玻璃杯、筆、T恤、腰包、杯墊、鎖匙扣……。迷你六瓶裝的可樂盤，真是精緻有趣。——想不到他的興趣是生意，幾乎每一件貨物，都是COCA－COLA，喜氣洋洋的紅。

一個用可樂送蛋撻的同學，初戀情人。真是恍如隔世。

他把我拈起又看了很久的迷你小可樂送給我。

微笑收下了。然後同沈家亮和幫他看店的女友道別。我說：

「我會介紹公司的可樂迷來光顧的。報上我名字打九折？」

「八折。」他說。

哦仍有點「地位」。

他在我身後問。

「還是愛吃蛋撻嗎？」

假日人太多，一時之間沒聽清楚。反而敏感地聽見他女友向他耳語：

「她星期天也一個人？」

這是女人的本能。

下午氣溫高達攝氏三十度。炎夏來臨了。但寂寞的人總是覺得涼。

道左有人聲：

「真可憐呀，長得那麼漂亮……」

「那輛私家車停也不停便走了！」

我聽到微弱尖寒的叫聲。

是一頭白色染血的西施狗。疑與主人失散後，在馬路上慌亂尋人，但這養尊處優的寵物，幾曾遭過大風浪？又不諳世道，終被一輛東行的車子撞傷。

「有人報警了嗎？」

警察已接報來了。他排開圍觀的路人。最初以爲是人，但受傷的是狗，他也沒有怠慢。透過對講機通報了好些話。

警察蹲下來，先安撫小狗，然後抬頭問：

「誰可給我一瓶清水？牠失血很多。」

我遞來一瓶礦泉水。他餵牠喝。還脫下帽子，揮動搧涼，西施狗又倦又痛，但也靜定下來，只不時呻吟。

警察安慰道：

「醫生快來了！不要怕！」

鐵漢溫柔得令大家笑起來。我沒有離去，看了好一陣。

直至「愛護動物協會」的工作人員來了，他們把小狗送交獸醫治療。——雖然，下場或是人道毀滅。男人把帽子戴好，站起來。

我認出他：

「奀豬强——」

還没說完，警察站立在我跟前，足足高我一個頭。與「奀豬」完全不配合。

奀豬强是茶樓報攤小販的兒子。小時跟隨父親上茶樓，便代買一份報紙。奀豬强也認出我來。那時他還用一個生果箱當桌子做功課。

黃國强長大了。又高又壯。國字臉。手很粗。

我長大了。父親老了。茶樓拆了。父親死了。我大學畢業了。戀愛了。工作了。失戀了。入息多了。我仍然在尋找一流的蛋撻。而香港也易主了。

「好多年不見。」

「你怎麼去了當差？」

「哦，我是當輔警。還有正職的——。」他說：「三點三，我們坐下來聊聊。」

「到哪兒？」

「來，帶你到『蛇竇』。」

「蛇竇」是地痞式茶餐廳，我怎會不知道。我是這樣長大的，那時的差佬也偷空嘆杯「鴛鴦」……。

「我知有一間。他們嫌奶茶不夠香濃，還用中藥煲來乾煎的，包保比苦茶還勁！」我興奮。

「歐陽婉菁，」他像小學生一樣，連名帶姓的喚。他不敢幫我改綽號。雖然我叫他那個可厭的難聽的乳名「奀豬强」。

「你小時最愛吃熱騰騰的蛋撻，如果不夠熱你情願等第二輪的。你爸爸這樣說你。」

「是嗎？」我有點愕然：「有嗎？」

有點感動。但願日子沒有過去。

記得數年前唸大學時看過一個電視劇集，「大時代」。在香港回歸前，又重播過一次。

主題曲記得很清楚：

「巨浪，捲起千堆雪，

日夕問世間可有情永在。

冷暖歲月裏，

幾串舊愛未忘，

誰會令舊夢重現，

故人復在？

……」

舊夢不醒？故人永在？

我永遠是個小女孩？

但，連城市也一覺醒來變了色。多少人還沒熬過風暴黑夜便已傾家蕩產。

人，說走便走，化作煙塵。

我只希望快點走到「蛇竇」。

坐下來，好好細說從頭。冷暖歲月裏，有些事，是急不及待要告訴故人。

我要告訴他：

拍巧格力廣告時多麼有趣。有家公司在經濟低迷時邀我跳槽條件多麼好。最近看一個電影哭得半死。某一回肚瀉還懷疑自己霍亂。如果連鷄蛋也有禽流感就太可惜了。鮮黃晶瑩的鷄蛋，不知能做多少個好蛋撻……。

王丹流亡美國，黃曼梨去世了。克林頓訪華是一場好戲。

小姨甥玩電腦比我還棒。

好想用新機場去旅行。

我想知道他的近況，一切。

……我終於找到他了。

一邊走一邊閒聊。

黃國强客氣地問：

「你近況如何？」

「——」

他又道：

「我結婚了。女兒兩歲。好可愛，又頑皮，胖得像小豬。你呢？」

貓柳春眠水子地藏

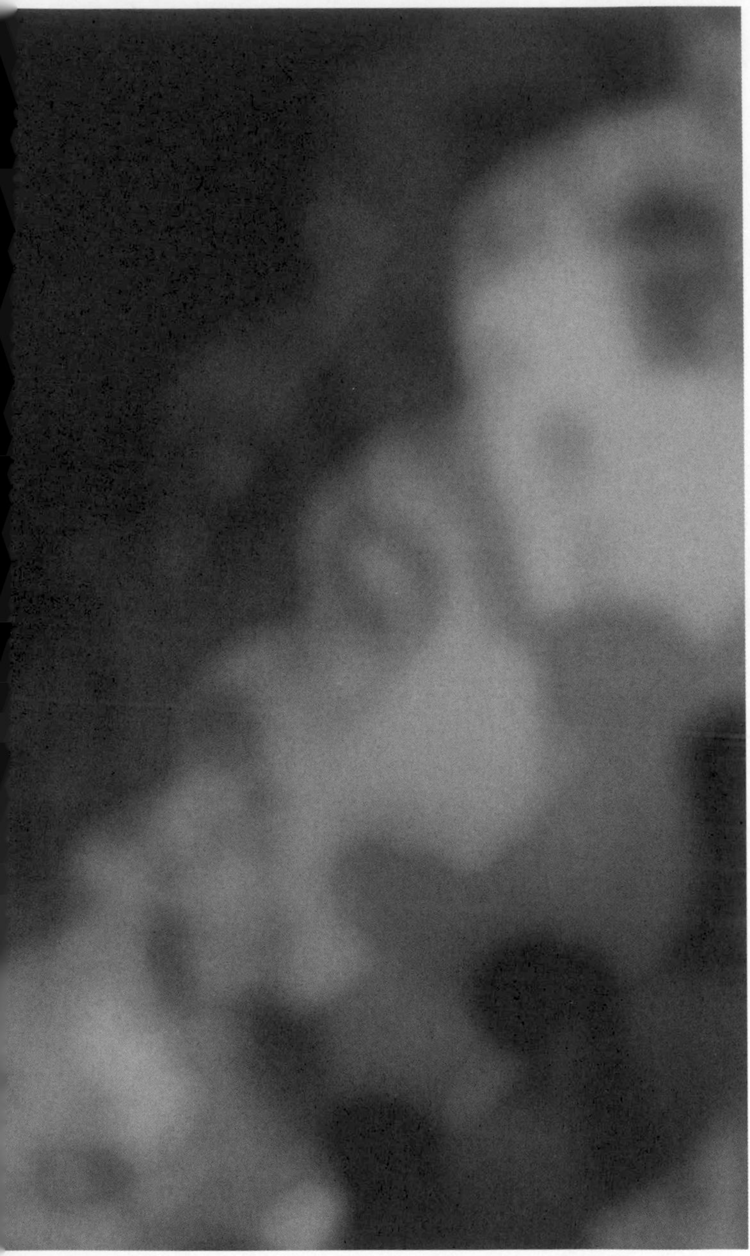

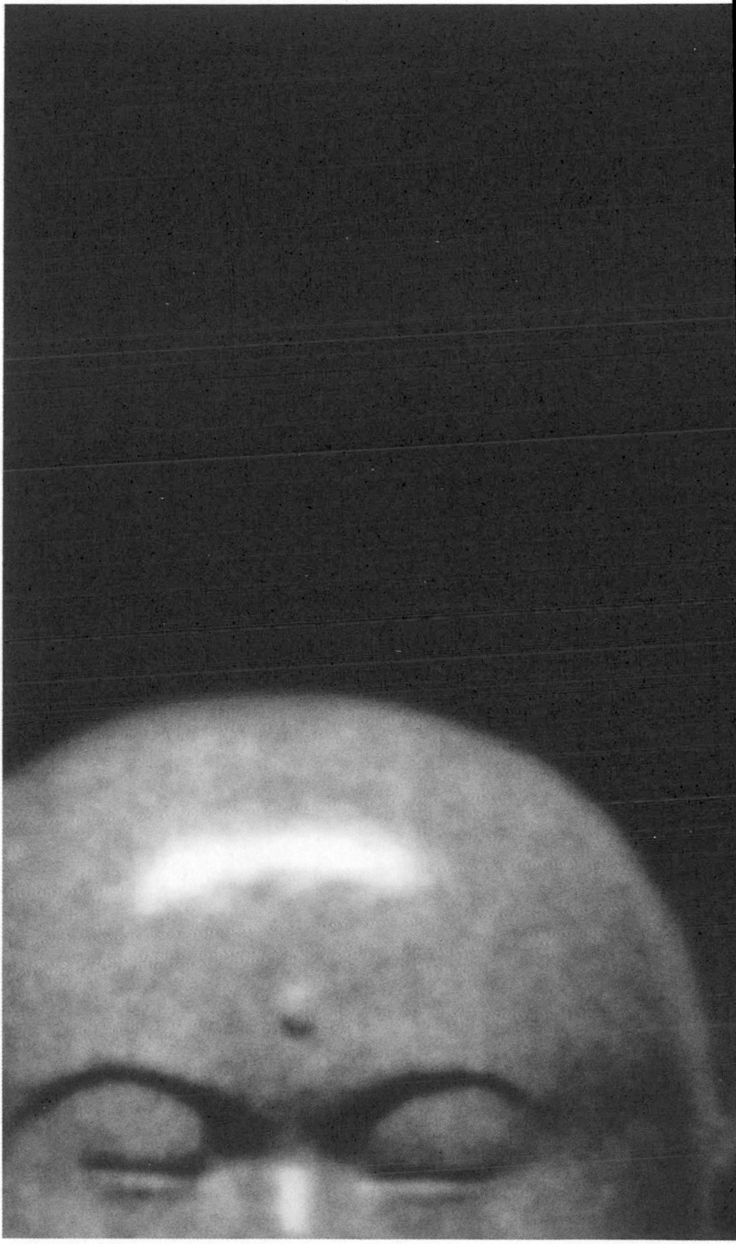

——吃眼睛的女人

「貓柳春眠」水子地藏：

我兒。

今日你已立爲地藏，凡俗間母子相稱亦應廢棄。我是忍不住再喊你一聲。——此是最後一回。

日後，我會恒唸你法號，並誦經供奉不絕。因我兒你已有安身立足之地位，且超然於我！

今日是五月五日端午節句。「端午」本是中國人風俗，但我等過端午，既無詩人，亦無龍舟，此日「菖蒲節」、「子供之日」，實爲天下男孩而設。你亦有三歲了。

我特地把菖蒲帶到你座前。「菖蒲」花白，諧音「尚武」。我兒，武力非我願，只求你廣庇世間小孩。

何以沒在三月三日的「桃節」作「雛祭」？——因我認定你是一個兒子。不是女兒。母親有此直覺。雖我是失敗的媽媽。

在我小時候，每年三月三日，你外婆必把「雛人形」搬出慶祝。七段台階鋪上紅色毯子，擺放皇帝、皇后、侍女、樂師、左右大臣、門衛……。在小型桃花樹下，並有宮廷擺設、轎子、古琴樂器。

她讓我的「桃節」過得很快樂。節一過完，雛人形皆抹淨收藏，好好保管，下一年再搬出。

女孩過桃節，亦是期望日後嫁得好，做個好母親，世世代代，爲小孩應節。

我兒，你竟從未渡過自己的節句。

難以補償。

於本高砂屋、風月堂、風雅庵、北野茶屋……，皆見「柏餅」。除了柏葉包裹之糯米紅豆餅外，亦有竹皮包蒸之粽子。幾經挑選，終光顧「滿願堂」，作爲今日「滿願」之祈福。

柏餅好黏，小心吃，勿鯁在喉。小心小心。

此外升在你身邊之「鯉幟」，以黑、紅、藍三條鯉魚形布幡組成。因無風，鯉幟靜垂。我兒，此亦兒童福祉。有男孩之家庭，必在院子中或陽台上高升。我或在祭祀後拿回家中，讓之迎風飛送，兒你有日鯉躍龍門，位列更高仙班。

我没帶來江户時代盔甲人形應節，因法師認爲世俗之物，有壞靜修。我也不喜暴戾。——雖我殺你，情非得已。

殺你之後，無一夜安眠。

三年以還，常作一夢。

地獄中，枉死城内，有一區，成群小孩，由一吋高至略成人形不等。滿面鮮血，一身污漬，啼哭不止，有的且躺於地上打滾、頓足……。

這批枉死兒，不能出世，又無法轉世，是以一腔仇恨，神情怨毒。

我兒，你最乖巧，哭聲不大，面目看不清楚。我認得，你有目無仁。雙手摸索，一眾之中至爲弱小，向我哀哭：

「媽媽媽媽，你爲甚麼困着我？」

乍一夢醒，心如刀割，子宮亦疼徹心脾。肚腹有敲叩聲……。

你看不見我。

你認不得我。

——只是你我血脈相連，不容否認。

今日我傾三年來積蓄，爲你立像，神位供養於寺廟。把你釋放，並作贖罪。

「水子地藏」原屬嬰靈。法師之言，人一喜一憂，乃因果應報，其指引：

「自業自得」，我亦明白。MIZUKO－JIZO，「水子」亦即「稚子」、「童子」。我兒你雖童稚，母親心意，當可體念。

每個「水子地藏」，均圍以前掛，以此墊肩，揩抹口涎。各式各樣之前掛，五彩繽紛。我見有素淡簡約、有寫滿經文、有綉上裝飾、有綴以花邊……。前掛屬嬰兒常備，一望而知，軟弱無能，需要扶持。我爲你圍上一綉了小貓的前掛，望你喜歡。

供品之中，有玩具、貓人形、風車、可口可樂、紙燈籠、綵帶、香燭……。還有生鮮水果。法師明日來爲你誦經，你若不明白，亦得耐心細聽，終會省悟。

或許你問，何以爸爸不來？

你亦看不見他。

認不得他。

人海茫茫，以你之力，尋找不到。我請你別問別追。

因我亦決定淡忘之。

——難。終得一試。

我將去仙台，作別大阪、神户、京都。仙台在東北，甚遠。不宜長途跋涉。你爸爸也不知。

若你不甘，但告訴你，他喚今井勇行。

三年多以前，陰曆六月暑氣熱烈，水泉枯乾，滴水皆無，古稱「水無月」。天炎、夜短。經數日夕燒，大地水盡，人灼熱，避入地底。

幸好一場梅雨，令人滌蕩。

我是在梅田阪急三番街，認識今井勇行。

高校畢業後，我是英語專門學校生。我住西區北堀江，於紀伊國屋書店當第二班兼職店員。下午五時至九時半。

「由紀子，」我同事透子道：「今日盤點未交接，改在六時上班，空出一個小時，我們去吃東西。」

我、透子，還有惠美，到三番街地下街遊逛。時間亦早，不餓。走過衣物、化妝品街道，至輕食區、菓子店、咖啡室、巧格力店……。

來到「明石亭」。

我常到此吃明石燒。此間的八爪魚燒丸子是整個大阪最美味的，才四百三十圓。有八個，以紅漆木板上，還附一小碗葱花湯。

自玻璃窗透視廚房，可見店員操作過程。

原來來了新人。

他穿白汗衣，無袖，頭髮中長，單眼皮。

如同其他店員，戴紙帽，踏大雙膠水靴。做輕重工夫。

只他一如舞蹈。身心不定，十分享樂。

他先掃上一層油，把麵粉蛋漿傾於鐵盤格子中，打轉環繞，然後如散花般，每格放入生薑、葱花、一粒八爪魚肉。他喝一口「寶礦力」，把垂額長髮一撥，持鐵筆，把一個一個八爪魚丸子調圓，餡料裹好，燒至微焦黃。

我看了他一陣。

他隔窗向我一舉手中飲料。不笑。

其他店員相熟，問：

「勇行像不像 DANCER？」

我不答。

「來三客跳舞明石燒。」

廚房裏傳來嬉笑。

明石燒上桌。

大家挾一個，吃半口，然後浸泡在葱花湯中……。

我發覺我的明石燒十分脹胖，內心熱烈，有物迸出。——我的明石燒，每個，都有兩粒八爪魚肉。似烤焦眼珠子要突圍。

我的臉脹紅。忙不迭一口吃掉，燙得很。

走的時候，我偷偷看他一眼，他早已站定等我偷看。朝我睞睞眼睛。

我没正視他的眼睛。

只見他的圍裙，有招財貓圖案。——圍裙也很白，同汗衣一樣白，也許是我有點目眩的關係。

我還聽見阪急三番街播送的主題曲。
由島田歌穗主唱：
「小河流過的街道」

＊)PARADISE IN THE RIVER CITY
今日まごの涙は　川に流して
PARADISE IN THE RIVER CITY
新しい翼を　さあ広げよう

思い出のシルエット　かばんに詰め込んで
夢さえみれずに流れてきたけど
悲しみの途中で　聞えゐ愛の歌

朝日ガ昇れば　涙乾くはず
今日は今日まで　明日からは
探し続ける　夢の世界を
PARADISE IN THE RIVER CITY
美しい時間を　過ごせるはずさ
PARADISE IN THE RIVER CITY
新しい自分を　見つけるために

我心中有道小河流過。

我並不知道，一星期後，他來找我。

六號收銀櫃枱，主理藝術書、洋書、洋雜誌、部份辭書、樂譜、畫册。

忽有客人遞來一本「野球週刊」。

我没在意，道：

「先生，雜誌請到一號收銀櫃枱。」

他不走：

「不是都一樣嗎？」

我抬頭。

見是今井勇行。另換一件簇新白汗衣，有小小懶惰貓圖樣，在左胸。小貓瞇起一隻眼。如同主人。

脱去圍裙，又走出玻璃城似的廚房，勇行清秀漂亮，原來長得很高。——原來眼睛的尾巴向上飛。

同事岩本正博代答：

「——趣味雜誌類，在一號。」

書店很大，共分八個專區。我不知他如何「旅遊」至此。

他急了：

「甚麼書才可在此付款？」

我淡然一指告示牌。

他把書放我櫃枱一旁：

「這書我暫不要。」

我收好，沒關係。目送他離去。——我恨自己不破格。但「紀伊國屋」有紀律。而我只好由他離去。我亦太冷淡。

一直忙至八時五十分。

櫃枱前仍有人龍。匆匆結算。最後一位，遞上三本。

我欲照射價目條碼，見這三本，分別是：

「艷色浮世繪幕末篇」

「浮世繪之魅惑」

「春意圖册」

他問：

「哪一本比較好看？請由紀子小姐指教。我不大曉得。」

又是這頑皮的今井勇行。

他大概徜徉良久，又窺看我名牌。我不答。臉發燒。

他手指打圈，隨便挑了一本。皆是男女秘戲，且無遮掩塗黑。我板着臉：

「謝謝，四千一百二十圓。」

他强調：

「爲了在六號櫃枱付款，才買『藝術書』！」

岩本正博過來護我。問是何事？

他只好道：

「再見。」

「喂，」我喊住：「不要勉强自己買貴價的畫册。」

「知道！」他道：「明白！」

及後三天，無影無踪。

太聽話。不買書，人也不來。

正博關心我：

「由紀子，你功課忙嗎？看來很累。」

又送我一個蘋果。我沒有吃，擱在背包。它上面有陽光照曬不到的「福」字影。

又過二天，又過五天。……

某夜，書店九時閉店，我們收拾一切，九時半下班。在一出口，見今井勇行。

他忙問：

「星期三書店不營業嗎？昨晚我來見關上門。」

「是。每月第三個星期三是定休日。」

「好，」他點頭：「我可與同事對調，選星期三定休，跟你配合。」

「為甚麼？」

「請當我女友，同我交往，好嗎？」他不容我考慮：「拜託你了由紀子小姐？」

這個出口，正在「地藏橫丁」。供北向地藏尊。我們路過，有人拍手禱告。

高懸並列的紙燈籠，發出紅光。

我們由盡處往前走。此是大阪最短的一條橫丁。

回想起來，真是天意茫茫。

冥冥中皆有注定，不可逃避。

勇行領我到他同住室友屋良克也工作處，是元祿迴壽司店。勇行喜不自勝，目的是把我介紹給他朋友知悉。很驕傲：

「這是你們提過的，在紀伊國屋的早川由紀子。她是我女友。」

屋良克也有羨慕神情。我亦很驕傲。

勇行無特殊口味，能吃，連盡十五皿。我要了心愛的雲丹，及貝割大根，即大根尚未成長，把苗摘下。微辛。

離開阪急東通商店街，到「大東洋」彈子房玩了一陣，又逛了一陣。最後在電車站依依分手。不用他送。我需要時間在回程中想一想。

在十二時半，回家以後，即接到他的問候電話。又談了約一小時。幸好媽媽已酣睡。

我知我遭殃！

深秋一個星期四。我自課室外望，天上起了鱗雲。又似鯖魚背上斑點。我正做着翻譯。

四時下課，沒到上班時間。勇行來電，他生病看醫生。

我想陪他看醫生。他力拒無效。

坐電車去。他住十三。——這不是他父母家，因父母各自有另一家庭。十三似遠，距我處隔了淀川，彼此在兩岸。其實又近，坐電車去，過河便是。

在醫務所，才知勇行不勇，極怕注射。老在哀求：

「醫生，可否不注射?你可加重藥，或給我苦藥。」

「不，重感冒還是一針準見效。」

「真的不願……。」

不肯就範。

醫生訓斥：

「你做食店，衛生重要，必須痊癒才可上班。」

又望向我：

萬狀。

「在女朋友面前要堅强。」

「好！」今井勇行無奈點頭。帶恐懼：「不要太用力！」

我緊握他的手。送上戰場：「不要臨陣退縮呀！」他出來時揉着屁股。悽涼萬狀。

他說：

「我不怕苦，不怕痛，只怕注射。」

又說：

「很餓，吃飯送藥。」

我們到了一家「卵料理」。餐廳門外是一個大大的蛋頭人，店中食物全以鷄蛋爲主角。裝飾亦是黃跟白。各人開口閉口，均是「他媽」、「他媽」的。賣奄列飯、蛋炒飯、蛋焗飯、半生熟蛋、蛋麵、蛋湯、蛋沙津、漢堡牛肉蛋……，還有黃澄澄的蛋冰淇淋。

我不許他吃炒飯。他道：

「不要緊，蛋沒有生命，蛋是素食。」

「但感冒是不能吃油的。」我爲他點了湯麵：「你回家好好睡一覺。今天和明天都不要找我。」

他連吃兩碗，方滿足一笑：

「由紀子，你知道嗎？我大睡之後醒來，單眼皮會變雙眼皮的。你來看我嗎？」

「我不來，只有妖怪才這樣。」

不知如何，我還是坐電車，過淀川，上班去。我的藉口是不願遲到。

——但有些事情，是避無可避的。

我實在沒有這力氣……。

我和勇行共渡第一個聖誕。在前一日，我們到難波、道頓堀、心齋橋遊玩。

唸高校時，我常與同學來法善寺橫丁吃紅豆湯。那是有名的「夫婦善哉」。

他們的紅豆湯，豆子顆粒大，不太甜，而且有塊黏黏的糯米糕，每客才五百圓，還有一小碟鹽昆布。即使在節日，亦無休。

電影還沒開場，我們四處閒逛。

「快來看，這裏有家偵探社——」

我們上前，只見招牌立在大樓門外：

「初戀情人偵探社」

還有「８０２」號的門牌。

那是一家奇特的偵探社呀。

正研究着，一個女孩推門出來。

我幾乎認不出她來。

她染了紫紅色的頭髮，還穿了眉環。一身很燦爛。

打個照面，她本來没反應。還是我先把她喚住了：

「千裕？——田島千裕？」

也許她早已認得我。比起來，我倒没甚麼變化。

「由紀子！」

——是我先把她喚住的。

千裕是我高校同學，當然也來過吃紅豆湯。她還没有畢業便退學了。因爲有一次警察上來學校，帶她回去做證人。繼父强姦了她。自此，她不肯再上課。

千裕是女生中相當嫵媚的一位。她的媽媽租了五台自動販賣機，每天來回把飲品、香煙等貨物，送去補給。全靠繼父有「背景」，没有人欺負。——可是千裕卻給欺負了。

後來，我知她自己過生活。

後來，我又知她接受一些年紀大的男人「援助交際」。大家没有通音訊。

她生怕同學誤會，也很强調：

「我與他們没甚麼。他們寂寞，找個女孩陪着喝咖啡，聊聊天，還吃頓晚飯，唱卡拉OK。他們只想人瞭解，談談話。」

當她出去同男人聊天時，我們忙着考試。——也許，真有點看不起她。她也看不起自己，否則不會那麼强調。

「千裕你來光顧他們嗎？」

她爽直地笑一笑：

「真不便宜！着手便付料金四萬五千圓，若成功了，又得付四萬圓——」

「你一定要把初戀找回來嗎？」

「當然，我把姓名，外貌特徵和他從前住址都提供了，一星期後偵探社會給我初步報告。——隱藏的初戀只有一個，能用錢給找回來，我情願付錢。」

「但我們都没聽你説過的。」

「如果當初我知道，還用找嗎？」千裕聳聳肩：「失去了才不惜一切要得回。可惜我不清楚他搬到哪兒去。——不過，是我先躲他的。」

她又道：

「如果跑到北海道，這交通費是我負責。唉呀。」

「祝你幸運，千裕。」

她給了我一張有玫瑰香味的卡片。只有名字和電話。她瞅着我和勇行：

「不必拜託偵探社才是最幸運！」

她又問：

「岡田老師好嗎？」

我說：

「她還在教高班英語。」

她笑：

「甚麼變化都沒有的人，也是最幸運。」

——岡田老師稱讚過千裕說英語的能力好。所以後來她可流利地與外國男人「交朋友」。變化的，是說話的內容和對象。似乎有點欷歔了。

千裕道別後，勇行道：

「日後你不用聘偵探來找我，我也不用找你。我們不會失散。別浪費金錢。」

我說：

「哼，你才不是我的初戀！」

「不！」勇行忙裝着生氣：「這樣不公平！你是説謊嗎？」

我是説謊。但他亦説謊。

聖誕節人人都玩得瘋狂。我們跳了一整個晚上的舞，還喝了三杯酒。

他教我把食鹽灑在手背上，然後仰頭一喝，那杯墨西哥龍舌酒還沒到達我的胃之前，馬上舔鹽花，不怕烈。最好還吃一片青檸檬。我照喝了，怎麼不烈？這種仙人掌做的酒，就如帶刺。

輪到勇行，他解開我兩個鈕扣，把食鹽灑在我鎖骨上，正要抗議，他又取一撮揩抹在我耳根。他笑：

「不要動不要動，鹽花全灑進衣服中了。」。

他猛地喝酒，飛快地伏在我胸前，舔去鎖骨上的鹽花，實在很癢，他就勢吻在我耳根上，然後趦趄不去……。

我没有招架之力。

這個晚上，我混身發癢，發軟，像有龍舌在舔我。龍的舌頭？仙人掌？我分不清楚。因爲連自己也忘掉。

我完全失去知覺，也不願醒來。——好像到了今天，還没醒過來。

但我到底比他早一點起來，大概我太緊張了，或者我真的想證實一下，究竟他的單眼皮，是否會變成雙眼皮？

數天之後，是十二月三十一日。也就是「大晦日」。我給他做了年越蕎麥麵。大家守歲時，我問：

「你讓我看看小時候的舊照片？」

「我不喜歡拍照的。」

「你上鏡一定很好看。」

「不。」他說：「我不喜歡留影。」

後來我才知道，因父母各自另組家庭，他把小時候的照片，全部燒掉。——他大概明白，即使留下一堆影子，從前的日子都不會回來。所以他索性不要了。

只是他忽然擁着我：

「媽媽弄的年越麵，没你的好吃。」

我撫摸着他的長髮。把遮住眼睛的撥開。順着他一字的濃眉，和往上飛的眼角，來來回回：

「讓我客串做你的媽媽。」

他把我扳直，皺着眉，憂傷地：

「怎麼可以？你還比我小幾個月！」

又道：

「你的手又冷。」

我斥責他：

「你不要小看女人。我剛做的一份功課，翻譯美國一項研究報告，專家説，女人雙手比男人冷，但她們的體溫比男人高。」

……

本來我們打算到八坂神社初詣，抽籤，和買破魔矢過年的。但我們把自己困在小房間中，甚麼地方也不去。

連一百零八下的除夕之鐘，也聽不見。因爲他在我耳畔喘氣。

我聽得自己問他：

「勇行，去年聖誕你同誰過？」

「我剛才痛得流出淚水是不是很難看？」

「我對你好些，還是你對我好些？」

「如果我明天要死了，你會怎樣？」

「老實說，你是不是情願不用安全套？」

「……」

勇行不答我。

他說：

「我回答了你一次，以後你便永無休止，問得更多了。」

他說：

「既已如此親密，你不需要瞭解我。你被我愛已夠忙碌了。」

於是，我們有時夜裏去吃韓國「燒肉」。

下面是洪洪的火，覆着一個龜背似的鍋，肉都烤得焦香。他大口大口的吃，還朝我頑皮地笑：

「我瘦了，得把荷爾蒙補回來。我吃燒肉是爲了給你。」

——但在這兒，人們有一種說法，如果一男一女很親密，那是說，已有多次肉體關係，他們都不約而同去吃「燒肉」的。太濃了，汁濃、肉濃，連酒，也濃烈嗆人。似乎全是補品。

但過年以後不久，今井勇行沒在「明石亭」上班了。

他是被辭退的。

「我偷偷溜到新阪急酒店大堂嘛，」他理直氣壯：「我去等『西武』LIONS。野球手下午入住。『西武』勝『近鐵』，九比三，多棒！」

他掏出兩個好手的簽名。

「還沒換衣服呢，藍衣、白袂，褲子上還有泥濘。手上也有，連紙也弄髒了。」

「是爲了簽名嗎？」

「甚麼？」

「只是爲了難得一見的野球手的簽名丟了工作？」

「——當然不是。是爲了『任性』。」

「你幹了才半年。」我很清楚，這正是我們認識的時日。

「不要緊，隨時找到工作。」他不在乎：「阪急三番街店子那麼多——」又道：

「或者到對面的 ART COFFEE。——不要那樣沮喪，半年已經很長了。」

「但你已經二十歲。你還剛過了一月十五日的『成人節』，難道永遠在三番街轉來轉去嗎？」

他用力捏着我的鼻子：

「都說不要你做我媽媽。」

他送我回梅田區上班。我們牽着手迎接早春。路過淀川，河邊有幾株垂柳。枝細葉長如線。開了好一陣的花，落後結子，白茸茸的被春風一吹，緩緩飄落，非常慵懶。亂躺地上。

「看，」勇行指：「貓柳。」

「哪有貓？」

「柳絮蓬蓬鬆鬆，像小貓的尾巴。」

「我還以爲，有頭小貓在柳絮下睡覺了。」我笑：「袒露着肚皮，瞇起一隻眼，雙手握了拳頭，放在這兒——」

我扮小貓，雙拳放在胸前腮邊。

「睡得好香啊！無憂無慮。」

勇行故意定睛看着我：

「——當你在我身邊，最舒服的時候，便是這樣了！」

我在電車上很不好意思。——我以爲人家會聽見。不看他。

良久，他定睛看我的姿態沒變過。

我但願他只看我一個。

爲了準備三月份的考試，下課後溫習和上班，我們已有一星期沒見面了。

當我掛念他，又擔心他是否找到新工作時，打過流動電話。

一次在阿倍野的漫畫咖啡文庫。

一次在難波。

有兩次接駁不上。

這天媽媽着我下課後買些水果回去，最好是蜜柑和柿餅。自爸爸三年前辭世，姊姊主力負責家計，她在神户一家牛肉加工食品廠工作，一個月回家兩次。她快要結婚。

這次回來，是跟媽媽商議吉日。

某回接到她電話：

「我要嫁人了。」

我不知說甚麼好。雙目有點濕濡：

「哦，你要嫁人了。」

以後她要改換姓氏了。也有自己的家。不知怎的，我們有點生疏，卻更捨不得……。

她喜歡吃水果。我也是。

因住西區，在心齋橋買好，便回家。

——但我見到勇行。

他在一家水族店。

店中賣海星、魔鬼魚、小金魚、海馬……，和水母。

無骨的水母，無血無肉，無色無相。全身透明，一如「寒天」。牠像一把小傘，在水中浮沉緩動。有些微白的斑點，迎着水族箱的暖燈，忽地一閃。

我見有一隻手指，指向水母，這是女孩的手：「要這個！」這個便給撈起來，盛在膠袋中，成爲她的禮物。開心得嘻嘻笑，吻了他一下。

勇行付款。

他倆轉過身出門。手挽手。

田島千裕？

刹那間我手足無措，還閃身躲起來。我想過大概十個方式：——

(一)裝作看不見，掉頭就走。

(二)與他四目交投，一言不發，掉頭就走。

(三)上前，大吵一頓，不用客氣。

(四)掌摑他一記。

(五)哭着哀求他。或請她退出。

(六)回去後才算賬。

(七)若無其事,忍氣吞聲。

(八)從此了斷,毋須解釋。

(九)……

(十)……

但,他怎麼找上她?

是記住那卡片上的電話嗎?看一次就記得?才一次?

不不不。全是我的錯。——當日是我先喚住她的。

是我自己的錯。

在還沒有整理好混亂的思想，無可避免地，還是遇上了。

我很意外地指着那個膠袋子：

「呀，這是甚麼呀？好可愛呢。」

「這是水母，看得見嗎？」千裕把它遞到我眼前：「現在流行養水母。」

「我遇到她，幫她挑的。」

「真巧啊。」

勇行問：

「由紀子要不要也養一隻？」

「水母壽命有多長？」

千裕搶着說：

「天氣還沒暖過來，怕牠容易死。如果照顧得好，大概活一兩年。」

「一兩年已經很長壽了。」我笑：「有些金魚不能過冬。」

「別看水母没有骨，牠也很堅強的。」

「這個多少錢？」

「差不多二千圓。」勇行道。

「……」

我們談笑甚歡。

末了分別回家。

我提着一袋水果。千裕提着一隻水母。勇行雙手插在褲袋中。

誰說這場戲難演？我那麼輕快，世上再没有角色不能駕馭，也没有尷尬的事件難倒我了。

他是高手，我亦不自愧。

——只是翌日，我再沒有力氣。我再也爬不起床出門上課和上班了。我把所有力量迸發一刻去「談談笑笑」?原來那是沉重的。

我覺得冷。雖然女人的手冷，體溫高，但專家的理論，並不適合塵世受傷者。我的體溫更低，全身都冷。我的熱情一下子沒有了。

我變成一隻透明的水母……。

「由紀子嗎？」

我拎起聽筒，有點失望。但我用輕快的聲音問：「正博？」

岩本正博約我明天上班前喝咖啡。我間中同他約會。雖然在同一家書店，但工作時沒機會「無聊」地聊天。他問：

「英國屋抑或薔薇園？」

又道：

「英國屋的咖啡香些。但薔薇園坐得很舒服。」

「正博你跟我做心理測驗嗎？」我笑：「是英國屋還是薔薇園？薔薇園是不是有紫色花裝飾那家？」

「你喜歡薔薇園。便選這個了。」

「你不要遷就我。老朋友了。英國屋的烘餅也好吃。我可以去英國屋。」

「薔薇園有香蕉蘋果批——」

我真有點混沌。今井勇行爲何不自動找我？只有我找他？他不會找我？他沒把這件事放在心上因爲我一直在微笑？……

跟岩本正博約好了。

我坐在地下街扇町通泉之廣場附近的薔薇園，等了半個小時，不見他來。我呆坐，正好甚麼也不做、不想。只是等。

再等了十五分鐘，我没時間了。他氣急敗壞地推門。連眼鏡也在冒汗。

「由紀子，我在——英國屋——等了你老半天——」

他也没時間了。我站起來：

「不要喝了，邊走邊談。」

他想問，我是不是與勇行出問題？他想約會我，星期三一塊去有馬溫泉散散心？他希望我訴苦？他是我每晚見面的老朋友，——但，我們竟然會走錯了地方。只有兩個選擇，我們也見不上面，各自苦候，還誤會對方不來。大家没緣份。他在最低落的一刻伸出手來，我没有心情。是不是因爲走錯了地方？

此刻才知道，他是英國屋，我是薔薇園。他對我再好，我們是碰不上一塊的。

在扇町通走着，人人熙來攘往，我倆被淹沒了，像各自被摺入隔了幾層的扇頁中。

我在熟人跟前哭了：

「正博，真不巧，定休日約了男朋友呢。對不起。」

勇行傷了我的心。我仍然按他流動電話的號碼。我無法同另一個好人到有馬溫泉。

除了他，我無法同任何人到有馬去。

——除了他。我兒，還有你。

你會記得這個地方的。

但你必更記得「人間優生社」。

這是一家私家診所。——說是「優生」，實乃「刑房」。

我在此處，把你謀殺。

媽媽是意外地，才知有你。那年，我二十。你是兩個月。我不能讓你出生！

醫生先給我注射。我不怕苦，也不怕痛。像你爸爸。比他强的，是我不怕注射。——我只怕這一針，效力不足。人工流產是普通手術，其實肉體不痛，心靈受傷。

我進房間時，來了兩個女人，坐在沙發上掀雜誌。在等。

看來是中國人。說中國話。

她們看着我進去。然後跑到護士的櫃枱前，同她打個招呼。

做手術前，醫生給我看了一個錄影帶，他很平淡地解釋過程，並要求簽字作實。

我既已來了，一陣空白，我簽了字。

耳畔他還絮絮叨叨：

「手術之後，或混在血水中。有時找得回，有時找不着。……都不要。……無權取回。……不追究責任。……同意……」

頭兩個月，孩子略成人形，如草上珠，柳上絮，一團血污。他在我肚子中，暖暖的。若我送走他，得用和暖的水沖到馬桶去。我親手做。

我分叉雙腿，感覺有東西在把你吸出來。力度大，不很痛。真的。是真空吸盤，左右擺動一下，像手在試位置，好一下子給抽走。

——一——下——子

猛地一下，你被吸掉。那感覺，似高潮。麻麻的。帶來了一切。帶走了一切。

一定是那一次。

在有馬溫泉。

「千裕和水母」事件之後，岩本正博填不上他的位置。我太窩囊了。

我想見勇行。

勇行把頭髮剪短，染茶色。

我抱怨：

「當我把頭髮剪得同你一樣短時，你又把它剪得更短了。——你叫我怎麼辦？」

我又道：

「今後，我決定長長了。並且，不管你染了紅茶綠茶，我才不管呢。」

他笑：

「若我們一起泡到金泉中染金了，再也沒有這個爭拗。」

「才怪。我去泡銀泉。」

在JR大阪站乘寶塚線列車，再轉一程巴士，我們到了六甲山腳的有馬，才一小時多些。這是最近的溫泉區了，「金泉」含强鐵是赤褐色，「銀泉」白得半透。

——但我們進了房間，勇行把「請勿騷擾」牌子掛出來。

我們竟然沒有泡過溫泉。我們熱愛彼此的身體。馬上把一切都忘掉了。——只有在斗室，他才真正屬於我。不能放出去呀。……

由星期三到星期四早上，我們做了四次。

我們有一些日子沒有見面，我總不能讓着千裕。以前，我不知有對手，現在，我覺得取捨應該自主。

我們做了四次。只第一和第二次來不及用安全套，——我知道，應是第二次時，有了你。

因爲第一次太餓、太快。

第三、四次有點累。

我兒，在最激烈，我會流淚的第二次，他的慾念最强，我感覺最混亂。想死。我心中想着，即使最後我們分手了，我還是愛這個男人。不能放他出去。

這是直覺。媽媽很清楚。我忽地張開了眼睛，費了很大的勁。我張開了眼睛，在極近的距離，在他的眼睛中，竟看到了自己。又看到你。

記得「大東洋」彈子房嗎？就在阪急東通商店街。那長年「新台入替」招牌旁邊，看手相女人對面，有一座「未來嬰兒面貌」組合機，把我的樣子，和他的樣子，經電腦分析，現出「你」的可能面貌。

我的肚子暖。人又渴睡。以後也不想做。——我意外地有了你，忽然間很疲倦，太疲倦了。

翌日，我幾乎下午才有力氣起來。昏昏沉沉，身心無着。空氣中盡是精液的味道。

太陽亮麗。

今井勇行，你二十歲的爸爸，正抽着LARK。側臉向空中呼出一團煙霧。

他問：

「你有沒有要問我的？」

我問：

「我要問你甚麼？」

「你爲甚麼不問呢？」

「沒有呀——」

勇行狠狠地抽一口煙。傷感地：

「你們都隨我。你們根本不在乎我。你們只想同我造愛。」

他把枕頭用力扔向遠處：

「世上沒有人要花工夫來管我呢！」

我不答。我為甚麼要管管不住的人？他走了。木格子門大開。

這是最後的溫存了。

……

「醫生醫生」。我問這白袍劊子手：「孩子在哪兒？」

我用一根玻璃棒，撥動那小小的金屬盆子。有些東西沉澱，有些東西浮升。

上層的血水淺紅色，下層有薄衣、血塊……。我撥到一小塊物體，約兩吋高。兩吋！

我兒這便是你了。

原來有小小的拗折了的手腳雛形。也有頭。嘴巴給壓扁了，好像說「不依」。軟軟的一灘。我心痛：「醫生這突出的小點是甚麼？」

「是眼睛。」他正欲把那盆子拎走：「顏色略深一點。啊，很完整呢。」

我用力抓住盆子。

「不是黑色的嗎？」

「還沒有眼珠子。」

「我多看一陣。」

他拿出那份文件，給我在最後一項簽字。並以現金付賬。

「我想帶走他。」

「不可以的。這兒，」他指：「寫着：你無權取回嬰胎。」

「爲甚麼？」

「放棄了又何必可惜？拎出去不好。而且你要來無用。」

難道你們有用嗎？

不不不。

我憤怒起來：

「難道你們有用嗎？」

忽地想起外面那兩個女人。

「你們把客人不要的嬰胎，賣給中國人做補品！用藥材炖了湯來喝！」

他面不改容地說：

「我們不會這樣做。」

但又無奈地：

「你用個玻璃瓶子盛走吧。——不過已搞爛了。沒有生命的。你不要亂動，剛做完手術，動作太大會流血不止。你現在先休息一下。喝杯熱鮮奶。」

「把瓶子給我！」我悽喊。

護士給我墊了特厚的衛生巾。

我的身體仍淌血。但我抓緊了你。——生怕你落入人家肚腹之中。也怕你被沖到馬桶去。更怕你被出賣。

你不能被殺一次又一次。

我聽得醫生在外頭説：

「有些媽媽面對這種變化，不能平衡，產生很多『妄想』……」

把你扔掉？

放久了，你便變壞？發臭？滋生細菌？血的臭味好噁心？你化成膿？

製成標本？醃作乾屍？

埋在土裏？

我慌亂了。來的時候，我以爲自己是主人。但現在我成了你的奴隸。媽媽不知如何處置你。有點失措。我拎起那杯鮮奶。

先呷一口，確定不太燙，没傷着你。再呷一口，讓我咽喉暢順。我把你拎近嘴邊，忽地我嚥了一下唾液，又放下了。——我是没有經驗，没吃過陌生的東西，不習慣而已。

我再呷一口鮮奶，白色的微甜的液體順喉而下，但你在我嘴邊，又停頓了。

我用力閉上眼睛，——我看不見你，你看不見我。我猛地把你倒進口腔，再用鮮奶押送。歇斯底理。

你很軟，很滑，一點腥味也沒有。你很乖，乖乖的回到我肚子中。

媽媽不能把你生下來。但你回到我處，最——安——全——了。

但自此，我無一夜安眠。

每當肚子痛，便喝熱鮮奶……。

我辭去紀伊國屋書店的兼職，亦不再與同事們聯繫。

英語專門學校畢業後，考進新阪急百貨公司營業部當職員。課長對我很滿意。調派至生鮮水果之部門。

一年以後，我認識了倉田孝夫。

倉田孝夫是東北山形特產「佐藤錦」櫻桃的批發代理人。來自仙台市。

每年五月第二個星期日，是「母之日」。公司一早提供高級品作母親節日之禮盒。主銷紅脆香甜櫻桃。合作已有多年。

我們首次約會，是代表公司營業部招待他。他卻領我到三十二番街，爲我介紹仙台牛柳。

三番街是我常去的平民化地下街，回憶太多。終而淡忘。三十二番街真天淵之別，它在HANKYU GRAND BUILDING三十二層，奢華的高樓。

「由紀子小姐，你們説神户及松坂牛是極上牛肉嗎？」

「對呀，神户的牛吃五穀、玉米，喝啤酒，所以肉質鮮嫩。」

「但仙台的牛有飯後甜品，而且每日有專人擦背按摩一小時，令脂肪内滲，造成『雪花』，紅白相混，吃時全無渣滓，入口即溶化。——仙台的牛柳比神户和松坂還要名貴。」

「吃甚麼甜品？」

「米雪糕好不好？」

「哎——」我失笑：「我是問牛吃的甜品。」

他也笑起來。然後煞有介事道：

「佐藤錦。」

「把大阪的媽媽也當母牛？」

我覺得這位三十四歲，腰板挺直，走路很快的商人，好有趣。我們開始交往。

我見過今井勇行。

兩次。

一次，我們坐汽車，經過浪速區的惠美須東，通天閣附近。FESTIVAL GATE在九七年夏天開幕的。很多人都湧到這個面積二十三萬平方米的娛樂城玩過山車、旋轉車和摩天塔……。

人還沒走近，已聽到悽厲的慘叫聲。十分刺激。

我在人群中，見他摟着一個女孩的肩，排隊購票内進。

我認得今井勇行是因爲他的無袖白汗衣，抑或他白衣上的懶惰貓呢？我不知道。

在日本，每天有一百萬個男孩穿白汗衣。人海茫茫，爲甚麼我可以一眼把他找出來呢？我不知道。

但他身邊的女友，已經不是田島千裕，當然，也不是早川由紀子了。

汽車駛過了娛樂城。

那些尖叫仍是一陣一陣的傳過來。——當中，一定有他的聲音吧。和她的聲音吧。他倆緊擁着吧。

倉田孝夫問：

「你想去坐過山車嗎？我陪你去。」

「不，」我微笑：「那是小孩子的玩意。」

「哦由紀子是個二十三歲的老人家！」他揶揄：「我豈不應該當祖父？」

他公幹後回仙台，每隔一兩個星期，郵便局總會把一盒又一盒的山形「佐藤錦」送來我家。——他忘了我本來就在生鮮水果部門工作，但也因爲經驗，我和你外婆嚐得出他的禮物是極上品。經過嚴格挑選。顆粒和顏色完全一樣。

後來，在紅櫻桃中間出現了一個指環……。

另外一次見到勇行，是在阪急電車上。向十三方向走的。也許他回家去了。

車廂中人不多，没坐滿，我離得遠遠的，一抬頭，又碰上了。說是没緣份，又不盡然。但統共才只兩次吧。

勇行的頭髮長長了，回復我初見他時的長度。他戴上了音樂耳筒，不知聽甚麼歌。

他神色有點落寞，没有女友在身邊的今井勇行，眼皮特別單，本來的單眼皮，特別憔悴。他望着地面，但没有焦點。電車晃動着，他不動。全無舞感，樂聲空送。他似乎不快樂。還有小小的鬍碴子，不太顯眼，小黑點。——他的鬍碴子長得很快，早晨剃了，黃昏便可長出來了。

我没有叫他。

後來他無意地望向我這邊。我別過臉去。他没有叫我。

——也許他是看不見我的。

他望向我這邊，良久。仍是沒有焦點。

今井勇行真是漂亮。可惜我們不屬於彼此。我兒，這是心底話。我感覺到肚子痛，便知你不安。你餓。

盂蘭施餓鬼會之後，八月二十四日，我參與了寺廟的地藏盆。晚上，大家在河上放流燈，小小的燈籠，稱「精靈舟」。

墮胎的媽媽們爲歉疚、追憶、懷念、贖罪、補償……，種種心事，後來化作一尊一尊「水子地藏」。長久供養。

一位法師走過來，說了幾句話：

「純真無垢

支離滅絶

釋放天然

如水似月」

燈籠於秋夜波光中掩映。蟬聲相送。我聽到蟲子叫，法師在我身邊走過去。

彼岸有曼珠沙華。夜了，紅花變成天地一色的黑。

在遠行前，我做了一件事：——

我到千日前的道具屋筋，訂造一個模型。

這道具屋筋術道不太長，兩旁店舖共百多間。它之所以聞名，因此處以蠟或塑膠製作各種食物之樣本。吸引很多餐廳的老闆、遊客，和喜愛收集食物模型的人。

他們造三文魚壽司、蕎麥麵、天婦羅、火鍋、意大利粉和御好燒……。

我向其中一家的老闆提出訂造條件：

「我想造一客明石燒，八個，以紅漆木板上。——每個丸子幫我放兩粒八爪魚肉。」

「不是一粒嗎？」

「是——兩——粒！」

「奇怪呀。沒這樣的造法。」

「有。」我堅持：「我吃過。」

老闆搔搔他半禿的頭：

「一顆眼睛是放不進兩個瞳仁的。」

是的，這個我太明白了！

「請你幫我忙吧——」

「太挑剔了，丸子會裂的。」

＊)HAVE A NICE TIME HAVE A GOOO DAY
光り輝く　ひとときを
HAVE A NICE TIME HAVE A GOOO DAY

川の流れゐ街で
流れ行く水に　想いを馳せて
二人囁く　限りない未來
新しい恋か　水面に搖れゐ
波にきらめく　愛の街

SHINNG EYES 祈り込めて
新しいときを見る

我心中有道小河流過。
「不會不會。」我哀求他：「你照造好嗎?感謝你了。記得放兩粒八爪魚肉呀。就像很努力地瞪大圓鼓鼓的眼睛——」
「每個加五十圓才造。」他不情不願：「又費材料又花工夫。從沒這樣的要求的。」
花在凋謝之前最美麗，但人卻在離別的一刻才多情。你不要取笑我們啊。
我知道，這或者會是整條道具屋筋的奇怪笑話。
兩個人之間的紀念品，總令局外人發笑。——即使它是悲涼的。

當我在難波走着，忽然，傳來一陣怪響。

四下的男女連忙左顧右盼。

原來是電子「求偶機」呢。

一個女孩掏出那手掌大，橢圓型的小機器，在她身邊四點五公尺範圍內，也有一個男孩掏出他的「求偶機」。大家配合一下。

二月才推出的新玩意，內銷連訂單已近一百萬了。男裝藍色，女裝粉紅色。每個人設定模式：「談心？」、「一起唱卡拉ＯＫ？」或「追求？」。只要在附近，有持同樣機器設定同樣模式的異性走過，便會同時感應，閃綠燈，發出訊號怪響，讓他倆看看是否匹配，可以發展。

在人海中尋找另一半，又怎可依仗一個二千九百八十圓的電腦？

「緣份」若如此便宜，人們又怎會受盡折磨？

她和他的故事，是甚麼樣的結局？

我不知道。我只知道，——真正的「愛」是痛的。我忽然淚如泉湧，無力自控……。

我竟然走到802號「初戀情人偵探社」的門外。我找不到那個人。我只找到一間公司。曾經一度，我最恨這間公司了。

我兒，媽媽雖捨不得你，但人生的路總是這樣。

人隨腳走。

路由心生。

我到任何地方，遇上任何人，我都記得你是我和他一塊懸浮的血肉。

仙台有「天道白衣大觀音」，一到埗，我必去祈求他保護你。照顧你。

還有不動明王、四天王、地藏菩薩、佛祖……，雖你列仙班，總是一位小地藏，多聽經多蒙保佑。

有些媽媽立「水子地藏」，各改玄妙法號，像「早蕨童子」、「空禪童子」、「遠離惡語」、「清雪隨喜」、「無緣」、「長慕」、「無愁」、「聽濤」、「坐忘」、「遲日未醒」、「聽鈴無憂」……。

幸福嬰兒在春日柳絮下酣眠如貓。我兒，你以花崗麻石爲身首，五官樸拙，不笑不哭，不言不語，不吵不鬧，不眠不休，不貪不戀……，堅强地化作地藏。

我給你改作「貓柳春眠」，你一定明白我心意。

往後，我自關西至東北，走過每間寺廟，燃點香火，用力拍掌，搖動響鈴的繩索，你若聽見，遙遙示意，媽媽雖漂泊，心靈也會知道。

我會做四萬六千日功德。

世無天長地久，終亦雨打風吹。惟有無情，方至多情。

夜夜風清月朗，辰光靜好，心事清盈。我與你永恒相知，不會寂寞。
保重保重。
保重。

早川由紀子

吃眼睛的女人・李碧華

出版：天 地 圖 書 有 限 公 司
香港皇后大道東109～115號智群商業中心十三字樓
電話：2528 3671　　圖文傳真：2865 2609
香港灣仔莊士敦道三十號地庫（門市部）
電話：2528 3605　2865 0708　　圖文傳真：2861 1541

承印：亨 泰 印 刷 有 限 公 司
香港柴灣利眾街27號德景工業大廈十字樓
電話：2896 3687　　圖文傳真：2558 1902

發行：利 通 圖 書 有 限 公 司（港 澳）
九龍紅磡民裕街41號凱旋工商中心8樓C
電話：2303 1010（13線）　　圖文傳真：2764 1310

再版日期：一九九八年七月

李碧華作品

- □青紅皂白（散文）
- ■胭脂扣（小說）
- □色　相（散文）
- ■青　蛇（小說）
- □戲　弄（散文）
- ■鏡　花（散文）
- □糾　纏（小說）
- ■生死橋（小說）
- □幽　會（散文）
- ■白　髮（散文）
- □潘金蓮之前世今生（小說）
- ■秦　俑（小說）
- □綠　腰（散文）
- ■个休戶（散文）
- □天安門舊魄新魂（小說）
- ■滿洲國妖艷——川島芳子（小說）
- □不但而且只有（散文）
- ■四條河原町花月（散文）
- □誘　僧（小說）
- ■江　湖（散文）
- □變　卦（散文）
- ■霸王別姬新版本（小說）
- □南泉斬貓（散文）
- ■好男人不過是一瓶好的驅風油（長短句）
- □恨也需要動用感情（長短句）
- ■中國男人（散文）
- □水　袖（散文）
- ■破　戒（小說）
- □草　書（散文）
- ■潑　墨（散文）
- □泡沫紅茶（散文）
- ■蝴蝶十大罪狀（散文）
- □礦泉水（散文）
- ■基情十一刀（散文）
- □吃貓的男人（小說）
- ■聰明丸（長短句）
- □咳出一隻高跟鞋（散文）
- ■630電車之旅（最後紀錄）
- □吃眼睛的女人（小說）
- ■八十八夜（散文）